O MILAGRE DA MANHÃ

PARA SE TORNAR UM MILIONÁRIO

Hal Elrod
David Osborn e Honorée Corder

O MILAGRE DA MANHÃ
PARA SE TORNAR UM MILIONÁRIO

Os segredos das pessoas bem-sucedidas
que vão ajudar você a enriquecer
(antes das 8 horas)

Tradução
Patrícia Azeredo

9ª edição

Rio de Janeiro | 2020

CIP-BRASIL. CATALOGAÇÃO NA PUBLICAÇÃO
SINDICATO NACIONAL DOS EDITORES DE LIVROS, RJ

E43m
9ª ed.

Elrod, Hal
   O milagre da manhã para se tornar um milionário: os segredos das pessoas bem-sucedidas que vão ajudar você a enriquecer (antes das 8h) / Hal Elrod, David Osborn, Honoreé Corder; tradução Patrícia Azeredo. – 9ª ed. – Rio de Janeiro: Best*Seller*, 2020.

   Tradução de: Miracle morning for millionaires
   ISBN 978-85-465-0190-8

   1. Sucesso – Aspectos psicológicos. 2. Habilidades de vida. 3. Autorrealização. 4. Finanças pessoais. I. Osborn, David. II. Corder, Honoreé. III. Azeredo, Patrícia. IV. Título.

Vanessa Mafra Xavier Salgado – Bibliotecária – CRB-7/6644

19-55233

CDD: 158.1
CDU: 159.923.2

Texto revisado segundo o novo Acordo Ortográfico da Língua Portuguesa.

Miracle Morning for Millionaires
Copyright © 2018 by Hal Elrod International, Inc.
Copyright da tradução © 2018 by Editora Best Seller Ltda.

Todos os direitos reservados. Proibida a reprodução, no todo ou em parte, sem autorização prévia por escrito da editora, sejam quais forem os meios empregados.

Aviso: os conselhos e as estratégias contidos nesta obra podem não ser adequados a todas as situações. Esta obra é comercializada mediante a compreensão de que o autor e a editora não fornecem serviços jurídicos, de contabilidade ou de outros tipos. O autor e a editora não devem ser responsabilizados juridicamente por danos que venham a surgir após a leitura desta obra. O fato de uma organização ou um site ser mencionado nesta obra como citação ou fonte potencial de informações não significa que o autor ou a editora aprovem as informações ou recomendações fornecidas pela organização ou pelo site. Além disso, os leitores devem estar cientes de que os sites aqui listados podem ter mudado de endereço ou ter sido desativados no intervalo de tempo entre a escrita e leitura desta obra.

Direitos exclusivos de publicação em língua portuguesa para o Brasil
adquiridos pela
Editora Best Seller Ltda.
Rua Argentina, 171, parte, São Cristóvão
Rio de Janeiro, RJ – 20921-380
que se reserva a propriedade literária desta tradução

Impresso no Brasil

ISBN 978-85-465-0190-8

Seja um leitor preferencial Record.
Cadastre-se no site www.record.com.br e receba informações sobre nossos lançamentos e nossas promoções.

Atendimento e venda direta ao leitor
sac@record.com.br

DEDICATÓRIAS

Hal

Este livro é dedicado às pessoas que significam mais do que tudo no mundo para mim: minha família. Mãe, pai, minha irmã Hayley, minha esposa Ursula e nossos dois filhos, Sophie e Halsten. Amo vocês mais do que posso expressar em palavras!

Este livro também é dedicado à memória da minha irmã Amery Kristine Elrod.

David

Dedico este livro a minha família, especialmente minha esposa Traci, minha mãe, minhas filhas Cheaven e Bella e meu filho Luke. A minha equipe, por trabalhar em nossa missão todos os dias, e a todos que sonham com a abundância, em toda a parte.

SUMÁRIO

UM CONVITE ESPECIAL DO HAL 11

INTRODUÇÃO — HAL 13

Conheça David Osborn

INTRODUÇÃO — DAVID 15

O milionário da manhã

PARTE I: O MILAGRE DA MANHÃ

1. Por que as manhãs são importantes 21

    A arte e a ciência dos motivos que fazem as manhãs serem fundamentais para melhorar sua vida.

2. Bastam cinco minutos para se tornar uma pessoa matutina 31

    Falar sobre as manhãs é fácil, mas acordar quando o alarme toca é bem diferente. Como ir de viciado no botão de soneca a madrugador em cinco minutos.

3. Salvadores de Vida 41

    O que exatamente você faz com suas manhãs? Conheça seis práticas testadas e comprovadas que vão poupá-lo de uma vida de potencial não atingido.

PARTE II: COMO SER UM MILIONÁRIO

4. Primeira lição: As duas portas   79

   O que realmente significa ser milionário e as quatro principais escolhas necessárias para ser um deles.

5. Segunda lição: Você, milionário   91

   Encontre seus pontos cegos e crie uma visão de futuro na qual você seja milionário.

6. Terceira lição: Seu plano de voo   105

   Como definir objetivos milionários e criar um plano de construção de riqueza que se adapte a você.

7. Quarta lição: Como se tornar super   119

   Como funciona a alavancagem e por que ela é crucial para os futuros milionários.

8. Quinta lição: O efeito pica-pau   129

   Ficar milionário não é uma questão de persistência. Como saber quando é hora de parar ou duplicar a garra.

9. Sexta lição: Onde está o dinheiro   143

   O que o dinheiro realmente mede e quatro princípios ligados a ele para começar sua jornada rumo ao sucesso financeiro.

PARTE III: TRÊS PRÁTICAS DE CRESCIMENTO PESSOAL PARA ACELERAR SEU CAMINHO RUMO À RIQUEZA

10. Primeiro princípio nada óbvio dos milionários: Liderança pessoal   157

    Decodifique a conexão entre riqueza e desenvolvimento pessoal.

11. Segundo princípio nada óbvio dos milionários: Engenharia de energia   175

    Como criar e proteger um suprimento ilimitado de energia para alimentar sua jornada rumo ao sucesso financeiro.

12. Terceiro princípio nada óbvio dos milionários: Foco inabalável   197
    Domine a produtividade e desenvolva um foco preciso no que realmente importa.
13. O desafio de *O milagre da manhã* para mudança de vida em trinta dias   211
    Comece sua jornada para ser milionário com uma estratégia de três fases para implementar qualquer hábito em apenas um mês.

CONCLUSÃO   219
Sobre a perfeição, as manhãs como equalizador máximo e a promessa de se transformar em uma versão melhor de si mesmo.

CAPÍTULO BÔNUS: A equação milagrosa   223

UM CONVITE ESPECIAL DO HAL   231

NOTAS   233

SOBRE OS AUTORES   235

UM CONVITE ESPECIAL DO HAL

Os leitores e praticantes de *O milagre da manhã* se uniram para criar uma comunidade extraordinária, composta por mais de 150 mil indivíduos do mundo inteiro com ideias em comum e que acordam todos os dias *com um propósito* e dedicam seu tempo a atingir o potencial ilimitado que existe em todos nós, enquanto ajudam os outros a fazer o mesmo.

Por ser autor de *O milagre da manhã*, senti que tinha a responsabilidade de criar uma comunidade na internet em que os leitores pudessem se conectar, obter apoio, compartilhar opiniões, ajudar uns aos outros, discutir o livro, publicar vídeos, encontrar um parceiro de responsabilização e até trocar receitas de vitaminas e séries de exercícios físicos.

Eu sinceramente não fazia ideia de que a comunidade de *O milagre da manhã* seria uma das mais positivas, engajadas e solidárias do mundo, mas foi o que aconteceu. Sempre me surpreendo com o nível e o caráter de nossos integrantes, que vêm de mais de setenta países e crescem diariamente.

Visite MyTMMCommunity.com para se juntar à comunidade de *O milagre da manhã* no Facebook [em inglês]. Você vai se conectar de imediato a mais de 150 mil pessoas que já estão praticando *O milagre da manhã*. Além de encontrar muitos que estão começando a jornada de *O milagre da manhã*, você descobrirá ainda mais pessoas que o praticam há anos e ficarão felizes em oferecer conselhos e orientações para acelerar o seu sucesso.

Eu modero a comunidade e entro nela regularmente, portanto espero encontrar você por lá! Para entrar em contato comigo nas redes sociais, siga **@HalElrod** no Twitter e **Facebook.com/YoPalHal** no Facebook. Vamos nos conectar em breve!

Introdução — Hal

CONHEÇA DAVID OSBORN

Há alguns anos, fui convidado para palestrar em um evento da organização sem fins lucrativos *1 Life Fully Lived*. Nunca tinha ouvido falar do outro palestrante convidado, mas o consenso entre os participantes do evento era o de que ele seria o destaque da noite. Fiquei curioso.

Quando David Osborn subiu no palco, fui logo cativado (assim como todos no auditório) pela mistura rara de autenticidade, transparência, conhecimento e contribuições relevantes.

A palestra se chamava *A riqueza não pode esperar,* e ele contou sua trajetória de jovem problemático que se tornou multimilionário pelo próprio esforço. A transparência de Osborn era estimulante; ele mostrava de onde veio cada dólar que ganhou na vida. E eram *muitos* dólares, aproximadamente 70 milhões [cerca de 260 milhões de reais], valor do seu patrimônio líquido na época.

Até aquele momento eu tinha conhecido alguns milionários, mas nenhum naquele nível. E muito menos com tamanha abertura e disposição para compartilhar o que sabia de graça, em um esforço sincero para ajudar os outros a conquistarem a liberdade financeira. Fiquei ainda mais intrigado.

Durante a apresentação de David, descobri que ele também era um dos fundadores do GoBundance, plano para homens que escolhem ter vidas épicas. Buscando mais tempo para me conectar com David, aceitei o convite para dar uma palestra em um retiro do GoBundance em Lake Tahoe. Mal sabia eu que essa viagem seria o começo de uma amizade valiosa entre David e eu, que incluiria também nossas famílias.

Depois daquela viagem a Lake Tahoe, minha família se mudou para Austin, no Texas, a 15 minutos de David e sua família. Nossas esposas viraram grandes amigas. Nossas filhas são muito próximas. Nossos filhos frequentam a mesma escola, a Acton Academy. Semana passada eles até compraram uma casa em nossa rua, então logo seremos vizinhos. Nesse ritmo, acho que é questão de tempo até estarmos todos morando juntos.

Em outubro de 2016, quando fui diagnosticado com um tipo raro de câncer com uma taxa de sobrevivência de 30%, David e sua esposa, Traci, ofereceram apoio fundamental a mim e a minha família. Eles nos mandaram refeições toda semana por mais de um ano, além de me levar de carro ao hospital, e até ofereceram seu avião particular caso precisássemos. Como o pai dele morreu de câncer, David entendia o que eu estava passando e ofereceu conselhos com base em sua jornada. A frase "Não tenho palavras para agradecer" resume a gratidão que sinto por David e sua família.

Espero que isso ajude você a entender a pessoa com quem está prestes a aprender. Pedi a David que escrevesse este livro comigo e trouxesse sua sabedoria porque ele personifica o significado de ser verdadeiramente *rico*. A riqueza não tem a ver somente com dinheiro na conta bancária ou com patrimônio líquido. A verdadeira riqueza significa viver de acordo com o que é importante para você, de acordo com seus valores, e a liberdade financeira é apenas um deles. Ninguém faz isso melhor do que David Osborn.

Introdução — David

O MILIONÁRIO DA MANHÃ

Esta manhã acordei às 5h17.

Acredite, eu *não* estou me gabando. Passei boa parte da vida sendo uma pessoa declaradamente noturna. Tenho saudade dos fins de semana do ensino médio, quando podia dormir até 10 ou 11 da manhã. Durante a faculdade eu dormia nas aulas e passava a madrugada estudando para as provas.

Quando abri minha empresa, fiquei preso a esses mesmos hábitos: trabalhar enquanto o mundo dormia e em seguida dormir até tarde. Por que não? A noite era um período produtivo, e eu passava as manhãs dormindo até quando o mundo permitia.

Claro que logo aprendi algumas lições.

A primeira foi que o mundo nem sempre me *deixava* dormir até tarde como eu gostaria. A maior parte das coisas funciona durante o dia, então as noites que eu passava em claro acabavam cobrando seu preço depois. Não importa o quanto eu me considerasse produtivo à noite, passar o dia na empresa cambaleando de sono como um zumbi não era o caminho para a riqueza.

Segundo, e provavelmente o mais importante: comecei a descobrir que *existe uma conexão entre manhãs e riqueza*. Não só o mundo raramente dorme até tarde, como os milionários quase *nunca* fazem isso.

A CONEXÃO ENTRE AS MANHÃS E OS MILIONÁRIOS

À medida que passei mais tempo em empresas, comecei a enxergar a conexão entre manhãs e dinheiro. Quanto mais eu alavancava essa primeira parte do dia (de modos bem específicos, que vou explicar mais adiante), mais meu patrimônio líquido aumentava.

E não estou sozinho. Se você pesquisar os hábitos dos milionários, como faremos ao longo deste livro, vai descobrir que há uma proporção incomum de pessoas ricas que acordam cedo. Existe um bom motivo para isso: manhãs e dinheiro têm muito em comum.

Quando se trata de dinheiro, talvez o conselho mais popular relacionado a finanças pessoais seja "pague primeiro a você", isto é: tire um pouco do que entra e, *antes de qualquer outra atitude,* reserve para investir. A premissa é que a ferramenta financeira mais poderosa do mundo são os juros compostos, mas, se você nunca tiver dinheiro para investir, jamais poderá se aproveitar deles. Você precisa pegar esse dinheiro *logo de cara*. Do contrário, ele será consumido por outras despesas.

O mesmo vale para o tempo. Desenvolver-se é a ferramenta mais poderosa que existe. Como acontece com o dinheiro, prometer a si mesmo que vai reservar tempo *mais tarde* para fazer o que é mais importante naquele dia jamais parece funcionar. Assim como dinheiro sempre encontra um novo lar, o mesmo acontecerá com seu tempo. Quando chegarem os últimos reais do pagamento, será tarde demais para poupar. Ao meio-dia, é tarde demais para fazer o que é mais importante.

O milagre da manhã significa pagar primeiro a você em sabedoria, produtividade e clareza. Aproveitar as manhãs é como tirar a nata do dia e guardar para investir e obter grande retorno.

De todos os investimentos que existem, de imóveis e seguros resgatáveis em vida a bolsa de valores e startups, o melhor investimento é sempre em *você*. E a ferramenta para fazer isso aparece todos os dias ao nascer do sol, sem falta.

PARA COMEÇAR SUA JORNADA MATINAL

Este livro aborda três temas.

Primeiro, ele almeja identificar e ensinar as práticas essenciais que definem as pessoas que escolhem ficar ricas. Se você aprender essas práticas, poderá seguir os passos delas. É simples assim. (Não, não é *fácil*. Mas é simples.)

Segundo, ele ajuda a entender o valor (e existe muito valor) em transformar essas práticas *na primeira coisa a ser feita todos os dias*. Claro que você pode tentar fazê-las mais tarde, mas imagino que saiba muito bem aonde isso vai levar. As manhãs têm uma vantagem e são importantes de um jeito que você ainda não consegue imaginar. Você não vai ficar rico *apenas* acordando cedo, mas não é exagero dizer que as manhãs podem fazer a diferença entre ser pobre e milionário.

Por fim, este livro ensina as habilidades práticas ao se transformar naquela criatura rara conhecida como "pessoa matutina". Posso repetir à exaustão que as manhãs são cruciais, mas, se você não acordar cedo o bastante para aproveitá-las, nada disso vai adiantar. A boa notícia é que *ser uma pessoa matutina é uma habilidade que pode ser aprendida*. Você realmente *pode* virar uma pessoa matutina, que acorda empolgada e cheia de energia. *Você* pode ser o madrugador. Meu trabalho é ensiná-lo a chegar lá.

Esses três fatores podem mudar profundamente a forma de vivenciar o mundo, e não só em termos de riqueza. Quem controla as manhãs controla os dias. Você passa a interagir com o mundo nos seus termos e poderá *agir* em vez de *reagir*.

Imagine um dia no qual *você* define a agenda, todas as tarefas mais importantes estão em evidência e o que vem pela frente é empolgante. É isso que *O milagre da manhã* oferece: não só a possibilidade de riqueza financeira como também uma abundância de paz e o controle sobre a sua vida.

O ponto de partida para essa jornada é aprender a aproveitar suas manhãs imediatamente, a partir de amanhã. Começar agora significa que você poderá aproveitar esta parte importante do dia logo de cara, enquanto lê este livro e aprende exatamente como os milionários ficaram ricos.

Ao começar, lembre-se de que *as manhãs são a fonte da magia*. É quando você desenvolve a mentalidade para enriquecer, dedicando seus sonhos, paixões e talentos ao processo de ficar milionário. Tudo começa pela manhã.

Se isso o intimidou, não tenha medo. Mesmo tendo sofrido com as manhãs no passado, pode acreditar: o seu problema com as manhãs não está nelas em si e sim no resto do dia. Se você não estiver satisfeito com a vida, não há motivo para pular da cama com disposição. Talvez diga até que não há motivo *algum* para se levantar. Muitas pessoas se sentem assim, e esse é um dos motivos por que tanta gente tem dificuldade para levantar cedo.

Por isso, vamos iniciar a jornada quebrando esse ciclo. Começaremos explicando a importância das manhãs e depois ensinaremos você a aproveitá-las como parte diária dessa jornada rumo à riqueza.

Muitas pessoas costumam pensar: "Primeiro vou consertar minha vida, depois quero acordar cedo", ou "Quando for rico, vou mudar meus hábitos". Posso dizer com segurança que a causalidade acontece no sentido contrário: você não vira uma pessoa matutina ao consertar sua vida; você conserta sua vida uma manhã de cada vez.

Se você está disposto a ter mais manhãs produtivas e mais riquezas na vida mas não sabe o caminho, este é o livro certo. Se quiser escolher mais, este livro vai ajudá-lo a *conseguir* mais.

Bem-vindo a *O milagre da manhã para se tornar um milionário*. Vamos começar.

PARTE I:

O MILAGRE DA MANHÃ

POR QUE AS MANHÃS SÃO IMPORTANTES E COMO VOCÊ PODE RECONQUISTÁ-LAS

Capítulo 1

POR QUE AS MANHÃS SÃO IMPORTANTES

(MAIS DO QUE VOCÊ PENSA)

"Você levanta toda manhã com determinação se vai dormir com satisfação."

— George Lorimer, jornalista e escritor norte-americano

Após passar boa parte da vida acordando tarde, hoje em dia é uma espécie de milagre se eu ainda estiver na cama às sete da manhã. Mesmo quando durmo tarde, geralmente me levanto cedo, pois o hábito faz parte de mim.

O que mudou minha agenda pela primeira vez foi perceber que a estratégia de trabalhar até de madrugada simplesmente não dava certo à medida que minhas responsabilidades aumentavam. Não funcionava. Eu não conseguia ficar acordado até tarde para ser produtivo e acordar cedo na manhã seguinte para interagir com a família, gerenciar a empresa e lidar com um mundo que cada vez mais me obrigava a deixar de ser um vampiro.

Essa percepção foi o catalisador da mudança. Eu me tornei uma pessoa matutina com relutância, por necessidade. Mas, como logo descobri, havia muito mais a tirar das manhãs do que apenas levantar cedo para enfrentar uma vida ocupada. Comecei a perceber que as manhãs eram uma espécie de segredo oculto que eu desconhecia havia vários anos. Elas não só me permitiam fazer mais como me permitiam fazer o que eu não conseguia *de forma alguma*.

PÉ DIREITO, PÉ ERRADO

Uma parte da magia das manhãs é que elas estabelecem o tom para o resto do dia. Tenha uma manhã planejada, disciplinada e cheia de crescimento e o seu dia seguirá o mesmo ritmo. Você vai se sentir no caminho certo e motivado. Vai se tornar orientado a obter resultados sem se distrair com tanta facilidade. Quando consegue equilibrar as manhãs, é quase garantido que seu dia será um sucesso.

Compare isso com o provável estado de sua manhã atual. A maioria das pessoas se encaixa em um destes dois perfis matinais. O primeiro é o *sobrecarregado*. Desde o momento em que você (relutantemente) acorda, está correndo frenético, atrasado e com a mente a toda. Você nem se vestiu ainda e já perdeu a hora. Sempre há muito a fazer e pouco tempo para isso.

O outro perfil matinal é o *desmotivado*. Sem objetivos ou ânimo, você dorme até tarde e procrastina até que *finalmente* decide trabalhar. Mesmo assim, você se distrai com facilidade e nunca sente que está produzindo algo útil. Você está à deriva. Totalmente sem rumo.

Para quem está sobrecarregado, o dia parece um grande treinamento de incêndio, com bagunça, caos e uma constante sensação de urgência. Para os desmotivados, o dia parece o acidente de carro mais lento do mundo: você não faz ideia de quais pedais terá de pisar ou de quando virar o volante para impedir a tragédia iminente.

Contudo, para ambos os tipos, há sempre o problema do dinheiro. A pressão de nunca ter o bastante, a incerteza de onde ele virá e a sensação de impotência para controlar o futuro financeiro. A pressão financeira é uma camada a mais de estresse no seu dia.

Seja qual for o caso, se você não aproveitar as manhãs, o mundo começará a atacá-lo assim que abrir os olhos. Se você começa o dia tarde, já terá *fracassado* ao sair da cama. Se acordar sem qualquer objetivo ou direção, é quase garantido que seus dias não vão levar a lugar algum. Não importa como sua manhã comece, tudo isso basta para fazer qualquer um preferir ficar na cama.

Mas e se houver uma terceira opção?

E se a sua manhã fosse diferente? E se você se *sentisse* de outro modo? E se pudesse acordar com disposição e entusiasmo, em vez de apreensão? E se, em vez de caos, você pudesse ter uma hora de paz e sossego dedicados a melhorar a si mesmo, suas finanças e sua vida?

Com *O milagre da manhã*, este espaço mental limpo e organizado que você imaginou está pronto para ser usado. Um espaço onde você poderá reconquistar sua elegância e dignidade e manter-se no controle para começar a criar a vida dos seus sonhos.

POR QUE AS MANHÃS SÃO TÃO IMPORTANTES

Segundo a minha experiência, quanto mais você explorar o poder de acordar cedo e dos rituais matinais, mais preparado estará para construir riqueza com objetivo. Não precisa acreditar em mim: há evidências cada vez maiores de que os madrugadores recebem muito mais do que a ajuda de Deus. Estas são algumas das principais vantagens que você está prestes a viver quando criar o seu *Milagre da manhã*:

- **Você vai ser mais proativo e produtivo.** Christoph Randler é professor de biologia na Universidade de Educação em Heidelberg, Alemanha. Na edição de julho de 2010 do *Harvard Business Review*, Randler descobriu que "pessoas com pico de desempenho matinal estão mais aptas para o sucesso profissional por serem mais proativas do que as pessoas com pico de desempenho noturno". Segundo Robin Sharma, empreendedor de renome mundial e escritor que figura na lista dos mais vendidos do *New York Times*: "Se você estudar as pessoas mais produtivas do mundo, todas tinham algo em comum: acordar cedo."

- **Você vai antecipar problemas e resolvê-los rapidamente.** Randler descobriu que as pessoas matutinas têm todas as cartas boas, pois "conseguem antecipar e minimizar problemas, são proativas, têm maior sucesso profissional e acabam ganhando mais". Ele observou que elas são capazes de prever problemas e enfrentá-los com mais calma e facilidade. Isso significa que as manhãs podem ser cruciais para diminuir o nível de estresse inevitavelmente causado por emergências inesperadas, que vão de filhos e trabalho a relacionamentos e dinheiro.

- **Você vai planejar como um profissional.** Dizem que, quando não conseguimos planejar, estamos planejando o fracasso. Isso é ainda mais verdadeiro quando se trata de riqueza. As pessoas matutinas têm tempo de organizar, prever e se preparar para o dia, além de se planejar financeiramente. Nossos colegas dorminhocos são reativos, deixando muito por conta do acaso. Você não fica mais estressado quando não ouve o despertador tocar e dorme demais? Levantar com o sol (ou antes) faz você começar bem o dia. Enquanto todos correm para tentar controlá-lo (e fracassam), você terá uma chance muito maior ao se manter calmo, no controle e seguindo seus planos.

- **Você vai ter mais disposição.** Um componente de *O milagre da manhã* é o exercício matinal, que costuma ser deixado de lado por... Bom, praticamente todo mundo. Mesmo alguns *minutos* de exercícios dão um tom positivo ao dia. Levar mais sangue para o cérebro ajuda você a pensar com mais clareza e se concentrar no que realmente importa. O oxigênio fresco vai permear cada célula do seu corpo, aumentando sua disposição. Por isso, as pessoas que se exercitam ficam mais bem-humoradas, em melhor forma física, dormem melhor e são mais produtivas.

- **Você vai ter as vantagens de quem madruga.** Recentemente, pesquisadores da Universidade de Barcelona, na Espanha, compararam as pessoas matutinas (as que gostam de acordar bem cedo) às pessoas noturnas, que preferem dormir e acordar tarde. Entre as diferenças encontradas, as pessoas matutinas tendiam a ser mais persistentes e resistentes a fadiga, frustrações e dificuldades. Isso se traduz em menos ansiedade, depressão e abuso de substâncias, além de maior satisfação com a vida.

As provas existem, e os especialistas afirmam: as manhãs são importantes para quase tudo. Da perspectiva de quem construiu riqueza, eu posso afirmar: cada um desses benefícios é uma vantagem imensa na jornada para ser milionário. Veja esta lista:

- Produtividade
- Solução de problemas de modo proativo
- Renda maior
- Planejamento diário
- Mais disposição
- Melhora no humor e na capacidade de adaptação

Existe alguma lista melhor de características necessárias para ficar rico? Eu não conheço. E cada uma delas está ligada às manhãs, segundo *pesquisas científicas*.

A esta altura, já não há mais dúvidas de que as manhãs têm uma qualidade mágica. A pergunta que não quer calar deve ser:

Se as manhãs são tão boas, por que todos nós não levantamos cedo?

Essa é não só uma pergunta perspicaz; sua resposta precisa ser dada antes de você colocar em prática o processo de cinco etapas para acordar que será mostrado no Capítulo 2.

O VERDADEIRO PROBLEMA DAS MANHÃS

Se você já teve dificuldade para lidar com as manhãs, sabe por experiência própria que a força de vontade e a empolgação que tinha na hora de dormir têm um jeito traiçoeiro de abandonar seu corpo quando o despertador toca na manhã seguinte.

Você não está sozinho. Acordar cedo é apenas uma das várias resoluções de ano-novo que costumam falhar bem depressa. Para ter sucesso na transição, é preciso entender algumas verdades sobre acordar cedo que você pode não ter levado em consideração. Estas verdades formam a base da abordagem de cinco passos para acordar cedo que você vai usar a partir de amanhã.

1. Seu padrão de sono é habitual

Será que algumas pessoas são naturalmente atraídas pelas noites, enquanto outras preferem as manhãs? Acredito que sim, e há pesquisas que comprovam isso, mas essa predisposição também é apenas isso: uma *tendência* da maioria das pessoas, não uma profecia genética. O que também está em jogo é o fato de você ter muitos hábitos de sono. É quase certo que você segue a mesma rotina noturna e matinal há *anos*. Tudo o que você faz de modo consistente por tanto tempo vira um hábito.

Os hábitos são forças poderosas. Ao sentir dificuldade para abrir os olhos quando o despertador tocar na mesa de cabeceira, é importante lembrar que você também estará lutando contra os padrões neurais do cérebro que o fazem repetir a mesma rotina sem pensar duas vezes.

A boa notícia é que você pode mudar de hábitos. Acordar cedo é uma *habilidade* que pode ser aprendida do mesmo jeito que se aprende a andar de bicicleta ou gerenciar uma empresa. E você vai aprender a fazer isso nos próximos capítulos.

2. O dia que você terá pela frente influencia sua forma de acordar

Você alguma vez já fugiu para debaixo das cobertas e "dormiu mais um pouquinho" pois sabia que precisava fazer algo difícil, chato ou emocionalmente exaustivo naquele dia?

Acordar para um dia empolgante é diferente de acordar para um dia assustador. Até os madrugadores correm para debaixo das cobertas quando temem o que está por vir.

A abordagem de *O milagre da manhã* lida com isso de duas maneiras. Primeiro, dando a você algo de bom para aguardar ansiosamente a cada manhã: tempo para si mesmo e reservado para melhorar as finanças, saúde, humor e sua vida como um todo.

Segundo, à medida que você usar as manhãs dessa forma, os dias vão parecer melhores. Quando os benefícios de *O milagre da manhã* entrarem em ação, você vai começar a fazer mudanças em sua vida e fugir cada vez menos para debaixo das cobertas.

3. Você tem medo de ser egoísta

Por incrível que pareça, uma das barreiras para acordar cedo não é apenas a batalha para fugir da cama. É uma forma sutil de autossabotagem que diz: *gastar esse tempo com você todo dia é egoísmo.*

Muitos de nós aprendemos que o sucesso significa colocar as próprias necessidades em último lugar. Você aprendeu que precisa cuidar primeiro da família, do emprego, da comunidade e *depois* de você, se sobrar um tempinho. O problema é: tudo o que adiamos geralmente acaba sendo *esquecido*. Com tantos afazeres, não conseguimos satisfazer as nossas necessidades, ficando exaustos, deprimidos, ressentidos e sobrecarregados ao longo do tempo.

Parece familiar?

Acredito firmemente no conselho que é dado antes de cada voo: coloque sua máscara de oxigênio antes de ajudar os outros. Você não será capaz de ajudar ninguém se não conseguir respirar e passar mal.

O mesmo vale para o desenvolvimento pessoal e, consequentemente, para a saúde. Deixar a si mesmo em segundo plano é a receita para "passar mal" em termos financeiros. Lembre-se:

- Você não consegue ajudar ninguém se a sua vida está se destruindo.
- Você não consegue ser produtivo se a sua saúde está indo ladeira abaixo.
- Você não consegue construir riqueza se não reservar tempo para aprender, desenvolver as habilidades de que precisa e criar a mentalidade necessária para alcançar seus objetivos financeiros.

O equivalente a colocar sua máscara de oxigênio primeiro no dia a dia é *usar as manhãs*, que são o segredo para tudo isso. É quando você assume o controle e define o rumo para a vida que realmente deseja.

Você é o piloto. Ninguém mais vai pegar os controles, só *você*. E não há como fazer isso se estiver dormindo.

MANHÃS? SÉRIO?

Neste exato momento deve haver uma vozinha na sua cabeça dizendo: *Duvido.*

É o seu cético interior matinal falando, e, acredite, eu entendo. Também fui assim. A primeira resposta para isso costuma ser que parece ótimo *na teoria*, mas aí você pensa: "Não tem como. Já estou espremendo 27 horas no meu dia, que só tem 24. Como raios eu vou acordar uma hora mais cedo?"

Eu pergunto: *Como assim você não consegue?* As manhãs podem transformar sua vida. Podem ser a pior parte do dia ou um verdadeiro milagre.

Se você está cético, o principal aqui é entender que *O milagre da manhã* não tem a ver com perder uma hora de sono para ter um dia mais longo e árduo, e também não é questão de acordar mais cedo, e sim de acordar *melhor*.

Milhares de pessoas em todo o mundo já estão vivendo *O milagre da manhã*, e várias delas eram pessoas noturnas, mas estão conseguindo. Na verdade, elas estão *prosperando*. E isso não acontece apenas por terem acrescentado uma hora ao dia, mas por terem adicionado a hora *certa*, e você também pode fazer isso. (Se ainda estiver convencido de que não tem tempo, aguarde: no Capítulo 3 eu vou mostrar o formato para um *Milagre da manhã de seis minutos*. Quem não tem seis minutos?)

Se você ainda não acredita, vou explicar o seguinte: a parte mais difícil de acordar uma hora (ou várias) mais cedo são os primeiros cinco minutos. Esse é o momento crucial em que, acomodado na cama quentinha, você decide começar o dia ou aperta o botão de soneca *só mais uma vez*. É a hora da verdade, e a decisão que você tomar ali vai mudar seu dia, seu sucesso e sua vida.

É por isso que os primeiros cinco minutos são o ponto de partida de *O milagre da manhã para se tornar um milionário*. Quando conquistamos a manhã, ganhamos o dia. Chegou a hora de você conquistar *todas* as manhãs.

Ouça o conselho de quem já foi uma pessoa noturna: ir de "Não sou uma pessoa matutina" para "Bom dia, sol!" é um processo. Mas, após algumas tentativas e erros, você vai aprender a controlar o dorminhoco que existe aí dentro para transformar o ato de acordar cedo em um hábito.

Nos próximos dois capítulos vou tornar esse ato mais fácil e empolgante como nunca aconteceu em sua vida, mesmo que você nunca tenha se considerado uma pessoa matutina. E vou ensinar a maximizar esses minutos matinais que você acabou de descobrir com as seis práticas de desenvolvimento pessoal comprovadamente mais poderosas da história.

<u>MILIONÁRIOS DA MANHÃ</u>

Em mais de cinquenta anos de empresa, aprendi que, se acordar cedo, posso conquistar muito mais em um dia e, consequentemente, na vida.

Não importa em que lugar do mundo eu esteja, tento manter a rotina de acordar por volta das cinco da manhã. Ao levantar cedo, consigo fazer um pouco de exercício físico e passar um tempo com a família, o que me deixa em um estado mental excelente antes de lidar com os negócios.

Acordar cedo não é questão de anunciar aos quatro ventos o quanto você trabalha. É questão de fazer tudo o que pode para ajudar sua empresa a conquistar o sucesso, e, se isso significa levantar em um horário incomum para a maioria, então você pode muito bem aproveitar o nascer do sol.

— Richard Branson

Capítulo 2

BASTAM CINCO MINUTOS PARA SE TORNAR UMA PESSOA MATUTINA

Se você parar para pensar, apertar o botão de soneca de manhã nem faz sentido. É como dizer: "Odeio acordar, então acordo repetidamente, de novo e de novo."

— Demetri Martin, comediante

Se fiz o meu trabalho direito, agora você deve estar se sentindo otimista e até *empolgado* em relação ao amanhã, imaginando que vai pular da cama bem cedinho e que o seu botão de soneca vai acumular uma camada de poeira pela falta de uso.

Mas o que vai acontecer de manhã, quando o despertador for desligado? Qual será a sua motivação quando for arrancado de um sono profundo pelo apitar do despertador? Como será a empolgação de sair da cama quentinha para uma casa fria?

Todos nós sabemos onde estará a sua motivação: descendo pelo ralo. Ela será substituída pela companhia sorrateira das manhãs perdidas que existe desde o início dos tempos: a *racionalização*.

A racionalização é muito esperta. O que parecia a conclusão decidida de levantar cedo e aproveitar o dia na noite anterior pode desaparecer na manhã seguinte. Em poucos segundos você pode se convencer de que só precisa de uns minutinhos a mais de sono e, quando perceber, estará se arrastando pela casa atrasado para o trabalho e para a vida mais uma vez.

É um problema complicado. Justamente quando mais precisamos da motivação, nos primeiros momentos do dia, é que ela parece estar em seu ponto mais baixo.

Mas e se amanhã de manhã você conseguisse aproveitar a onda de entusiasmo que está sentindo *agora*? Esse é o objetivo deste capítulo: aumentar a sua motivação matinal e atacar de surpresa a racionalização.

Cada uma das cinco etapas do processo que mostrarei a seguir é feita para aumentar o que Hal chama de Nível de Motivação ao Acordar (NMA). Quanto maior for o NMA, maior será a probabilidade de driblar o botão de soneca e se levantar. Seu trabalho é deixar o NMA maior do que a vontade de apertar o botão de soneca, não importam os meios necessários para isso.

Felizmente, os meios necessários são menos drásticos ou difíceis do que você imagina.

A ESTRATÉGIA DE CINCO PASSOS À PROVA DE SONECA PARA DESPERTAR

Talvez você tenha um baixo NMA, o que significa que, na maioria das manhãs, não quer sair da cama quando o despertador toca. Isso é normal. Mas, ao usar o processo simples de cinco etapas (que leva uns cinco minutos) descrito neste capítulo, você vai gerar um alto NMA e ficar pronto para pular da cama e encarar o dia.

Cinco etapas, cinco minutos. É só isso.

Primeiro minuto: definir suas intenções antes de dormir

O primeiro segredo para acordar é entender isto: *seu primeiro pensamento da manhã geralmente é igual ao último pensamento que teve antes de ir dormir*. Aposto que já houve noites em que você mal conseguia dormir por estar muito empolgado para acordar na manhã seguinte. Foi quando você era criança, na manhã do Natal ou no dia de sair para uma viagem de férias: assim que o despertador tocava, você já abria os olhos, pronto para pular da cama. Por quê? Porque o último pensamento que teve antes de dormir foi positivo.

Por outro lado, se seu último pensamento antes de dormir for: *Ah, droga, não acredito que preciso levantar daqui a seis horas. Vou estar exausto de manhã...* então o primeiro pensamento quando o despertador tocar provavelmente será algo como: *Ah, droga, já se passaram seis horas? Nããããoo... Eu só quero continuar dormindo!*

Em outras palavras, uma parte do seu jeito de acordar é uma profecia que sempre se cumpre. É *você* quem cria a sua realidade matinal, e não o seu despertador.

Assim, o primeiro passo é decidir toda noite, antes de dormir, criar de modo ativo e consciente uma expectativa positiva para a manhã seguinte. Visualize e afirme para si mesmo.

Para ajudar nisso, obter as palavras exatas a serem ditas antes de dormir e criar suas intenções matinais poderosas, basta baixar as "Afirmações da hora de deitar" gratuitamente em www.MiracleMorning.com/Brazil.

Segundo minuto: colocar o despertador do outro lado do quarto

Se você ainda não fez isso, coloque o despertador o mais longe possível da cama. Isso vai *obrigá-lo* a levantar e mexer o corpo para desligar o alarme. Movimento cria energia, e sair da cama para andar pelo quarto naturalmente ajuda você a acordar.

A maioria das pessoas deixa o despertador ao lado da cama. Isso é ótimo se você quiser voltar a dormir, mas nesses primeiros dias o seu NMA vai estar no ponto mais baixo, o que dificulta muito mais a convocação da disciplina para sair da cama. Um despertador perto da cama é a receita para dormir mais. Na verdade, você pode desligar o alarme sem nem perceber! Em algum momento, todo mundo já se convenceu de que o alarme era apenas parte do sonho que estávamos tendo. (Não aconteceu só com você, pode acreditar.)

Ao se obrigar a sair da cama para desligar o despertador, você está se preparando para acordar cedo com sucesso porque aumentou instantaneamente seu NMA.

Naquele momento, contudo, em uma escala de um a dez, o seu NMA ainda pode estar por volta de cinco e você provavelmente vai se sentir mais dormindo que acordado, portanto a tentação de voltar para a cama ainda estará presente. Para aumentar o NMA um pouco mais, experimente o próximo passo.

Terceiro minuto: escovar os dentes

Assim que levantar da cama e desligar o despertador, vá direto para o banheiro escovar os dentes. Eu sei o que você deve estar pensando: *Sério? Está dizendo que preciso escovar os dentes?* Sim. A questão é fazer atividades simples nos primeiros minutos para que o corpo tenha tempo de acordar.

Após desligar o despertador, vá para o banheiro, escove os dentes e jogue água quente (se estiver fria, melhor ainda) no rosto. Essa atividade simples vai aumentar ainda mais o seu NMA.

Agora que seu hálito está refrescante, é hora de continuar.

Quarto minuto: beber um copo de água

É crucial que você se hidrate logo de manhã. Após seis a oito horas sem água, você vai estar levemente desidratado, o que causa fadiga. Quando as pessoas estão cansadas em qualquer hora do dia, em geral elas precisam é de mais água, não de mais sono.

Comece tomando um copo ou garrafa de água (ou você pode fazer como nós: encher o recipiente na noite anterior e deixar tudo pronto para o dia seguinte) e beba na velocidade mais confortável para você. O objetivo é repor a água da qual você se privou durante as horas de sono.

Esse copo de água deve aumentar mais um pouco o NMA, o que o leva ao próximo passo.

Quinto minuto: vestir as roupas de ginástica (ou entrar no chuveiro)

O quinto passo tem duas opções. A primeira é vestir roupas de ginástica, sair do quarto e começar imediatamente seu *Milagre da manhã*. Você pode preparar as roupas antes de dormir ou já dormir vestido com elas (sim, é sério).

A segunda opção é entrar no chuveiro, uma ótima forma de levar seu NMA ao ponto em que ficar acordado é muito mais fácil. Contudo, eu geralmente prefiro vestir as roupas de ginástica, já que preciso de um banho após me exercitar ou passear com o cachorro. Muita gente prefere tomar banho antes porque ajuda a acordar e começar bem o dia. A escolha é totalmente sua. Se a primeira opção não funcionar, use a opção do banho. Assim, vai ser *muito* difícil voltar a dormir.

Independentemente da opção escolhida, após realizar esses cinco passos simples o NMA deve ser alto o suficiente, exigindo pouca disciplina para ficar acordado e realizar seu *Milagre da manhã*.

Se você tentasse cumprir esse compromisso quando o despertador tocou pela primeira vez, enquanto estava com um NMA de quase zero, seria uma decisão muito mais difícil de tomar. Os cinco passos criam um embalo, e em poucos minutos você está pronto para começar em vez de estar grogue.

Nunca fiz esse processo nos primeiros cinco minutos para depois decidir voltar a dormir. Depois de levantar e me movimentar ativamente pela manhã, posso continuar assim com mais facilidade ao longo do dia.

MAIS DICAS PARA ACORDAR DE *O MILAGRE DA MANHÃ*

Embora essa estratégia tenha funcionando para milhares de pessoas, os cinco passos não são a única forma de facilitar o processo de acordar. Aqui estão mais algumas que ouvi de outros praticantes de *O milagre da manhã*:

- *Use as afirmações da hora de deitar:* Se você ainda não fez isso, **acesse www.MiracleMorning.com/Brazil**, baixe e imprima as afirmações do Hal. Deixe-as perto da cama para ajudar a definir suas intenções toda noite antes de dormir. Elas são feitas de modo a programar o subconsciente e preparar você para derrotar o botão de soneca, além de garantir muita energia ao acordar.
- *Configure um timer para as luzes do quarto.* Um integrante da comunidade de *O milagre da manhã* contou que instalou um timer para as luzes do quarto (você pode comprar um desses pela internet ou na loja de utilidades domésticas mais próxima). Quando o despertador toca, as luzes do quarto se acendem. Que ideia incrível! É muito mais fácil voltar a dormir quando está escuro. As luzes acesas dizem para a sua mente e o seu corpo que é hora de acordar. Mesmo se não usar um timer, ligue a luz assim que o despertador tocar.
- *Configure um timer para o aquecedor do quarto.* Outra integrante da comunidade de *O milagre da manhã* configura o timer para desligar o aquecedor do quarto 15 minutos antes de acordar durante o inverno. Ela deixa a temperatura um pouco mais fria à noite e bem quente ao acordar para não ficar tentada a voltar para debaixo das cobertas.

Fique à vontade para adicionar algo ou personalizar a estratégia de cinco minutos à prova de sonecas para acordar. Se tiver alguma dica que gostaria de compartilhar, nós adoraríamos ler. Publique-as [em inglês] na Comunidade de *O milagre da manhã* em MyTMMCommunity.com.

AGIR IMEDIATAMENTE

Chegou a hora da decisão.

Este é o ponto de virada fundamental para quem está lendo *O milagre da manhã*. É hora de firmar o compromisso e descobrir o poder das manhãs.

Você agora está diante de uma escolha. Amanhã você poderá acordar cedo, inspirar-se e começar a recriar sua vida de modo a preencher a lacuna entre a vida que você tem agora e a tão desejada abundância financeira.

Ou você pode fazer o que sempre fez e torcer para dar certo.

Se estiver pronto, pode começar *agora*. Lembre-se de que acordar cedo de modo consistente e com facilidade é uma questão de ter uma estratégia eficaz e um passo a passo para aumentar o NMA de manhã. Comece já! Você pode fazer as três etapas a seguir imediatamente; não é preciso esperar até a manhã seguinte ou a hora de dormir:

1. *Pelos próximos trinta dias, defina o alarme para 30-60 minutos mais cedo do que você costuma acordar e se comprometa a deixá-lo assim pelo próximo mês.* Isso mesmo, apenas 30-60 minutos por trinta dias, começando agora. E faça questão de anotar na agenda para fazer o seu primeiro Milagre da manhã *amanhã cedo*. Isso mesmo, não use o "vou esperar até terminar o livro" como desculpa para a procrastinação.
2. *Entre na comunidade de* O milagre da manhã em MyTMMCommunity.com para se conectar e conseguir apoio [em inglês] de mais de 200 mil madrugadores com a mesma mentalidade. Vários deles vêm obtendo resultados extraordinários com *O milagre da manhã* há anos.
3. *Consiga um parceiro de responsabilização de* O milagre da manhã. Convide alguém (cônjuge, amigo, parente, colega de trabalho ou da comunidade de *O milagre da manhã*) para se juntar a você nessa aventura de modo que os dois possam estimular, apoiar e se responsabilizar mutuamente a continuar até *O milagre da manhã* virar um hábito para a vida toda.

Se você estiver inseguro porque tentou mudar no passado mas não conseguiu, aqui está uma sugestão: leia agora o Capítulo 13, "Desafio de transformação de vida em trinta dias de *O milagre da manhã*". Ele vai fornecer a mentalidade e a estratégia para superar qualquer resistência e lhe dará o processo mais eficaz para colocar um novo hábito em prática e mantê-lo. É a primeira jornada em que você vai embarcar após o fim do livro, e você pode sentir o gostinho dela agora. Pense nisso como iniciar o processo já tendo o fim em mente.

PRIMEIRA LIÇÃO DE INVESTIMENTO

O capítulo anterior deve ter feito você parar para pensar no valor das manhãs. Todas as provas e as palavras de milhares de pessoas que viraram praticantes de *O milagre da manhã* levam a esta ideia poderosa:

E se as manhãs não fossem o jeito de *começar* o dia, e sim de *criá-lo*?

A forma de começar o dia pode ser o fator mais importante para determinar o jeito de levar a vida. Quando acordamos empolgados e criamos uma manhã poderosa, produtiva e com propósito, nós nos preparamos para ganhar o dia.

Apesar disso, a maioria das pessoas começa o dia com procrastinação, apertando o botão de soneca e esperando até o último minuto para sair de baixo das cobertas confortáveis. Embora não seja muito óbvio, esse ato, que parece inocente, pode enviar uma mensagem prejudicial ao subconsciente, programando a psique com a crença de que se você não tem disciplina para sair da cama cedo, que dirá para agir e conquistar o que deseja na vida, incluindo a construção da abundância financeira.

Quando o despertador tocar de manhã, pense nisso como a primeira oportunidade de investimento que a vida oferece todos os dias. É o dom de mais um dia, o desafio de tomar a decisão disciplinada de sair da cama e a oportunidade de investir tempo no desenvolvimento pessoal, de modo que cada um de nós possa se transformar na pessoa que precisamos ser para criar a vida que realmente desejamos. E faremos tudo isso enquanto o resto do mundo continua a dormir.

Esta é a sua primeira lição de investimento rumo à riqueza: manter a disciplina por alguns instantes todas as manhãs (os primeiros momentos em que você decide levantar em vez de ficar na cama) é algo que pode pagar dividendos pelo resto da vida.

Quando me perguntam como me transformei em uma pessoa matutina e mudei minha vida nesse processo, digo que fiz isso em cinco etapas simples, uma de cada vez. Cinco passos simples e à prova de soneca que deixaram o ato de acordar, mesmo cedinho, mais fácil do que nunca. Sem essa estratégia, eu ainda estaria dormindo (ou tirando sonecas) e definindo novo(s) horário(s) no despertador a cada manhã. Pior: eu ainda estaria me apegando à crença limitante de que não sou uma pessoa matutina.

E teria perdido um mundo de oportunidades.

Sei que pode parecer impossível, mas acredite neste ex-viciado no botão de soneca: é possível. E você pode fazer isso assim como eu fiz.

Esta é a mensagem crucial em relação a levantar cedo: *mudar é possível*. Como a maioria dos milionários, as pessoas matutinas não nascem assim, elas se tornam. Você também pode fazer isso; não exige a força de vontade de um maratonista olímpico. Eu afirmo: quando acordar cedo não for apenas algo que você faz e sim *quem você é*, as manhãs serão a parte favorita do seu dia. Acordar será para você como é para mim: algo que acontece sem esforço.

Não está convencido? Suspenda a descrença por um instante e experimente esse processo de cinco etapas amanhã. Ele pode transformar a sua vida como transformou a minha. Deste dia em diante e nos próximos trinta dias, programe o despertador para 30-60 minutos mais cedo do que você costuma acordar. Assim, você vai conseguir levantar quando quiser em vez de quando precisar. É hora de iniciar cada dia com um *Milagre da manhã* e se transformar na pessoa que você precisa para levar seu desenvolvimento pessoal, seus filhos e sua família a patamares extraordinários.

O que você vai fazer com essa hora a mais? Vamos descobrir no próximo capítulo, mas por enquanto continue lendo este livro durante o seu *Milagre da manhã* até aprender toda a rotina.

MILIONÁRIOS DA MANHÃ

Em 95% das vezes eu consigo ter oito horas de sono por noite. Como resultado, em 95% das vezes eu não preciso de despertador para acordar. E acordar naturalmente é um ótimo jeito de começar o dia.

Uma parte importante do meu ritual matinal diz respeito ao que eu não faço: quando acordo, não começo o dia olhando para o celular. Prefiro reservar um minuto e respirar profundamente, exercer a gratidão e definir minha intenção para aquele dia.

Fiz pequenas mudanças nesse ritual ao longo do tempo. Por exemplo: quando morava em Los Angeles, eu gostava de fazer caminhadas e trilhas de manhã. Sou muito aberta a experimentar e tenho certeza de que logo vou descobrir algo novo para acrescentar à minha rotina.

E não, eu não acredito no botão de soneca. Nos dias em que preciso usar o despertador, sempre configuro para o último momento possível em que preciso acordar.

— Ariana Huffington

Capítulo 3

SALVADORES DE VIDA

SEIS PRÁTICAS QUE VÃO POUPÁ-LO DE UMA VIDA DE POTENCIAL NÃO ATINGIDO

> *Fazer os Salvadores de Vida toda manhã é como abastecer o corpo, a mente e o espírito com combustível de foguete antes de começar o dia, todos os dias.*
>
> — Robert Kiyosaki, autor do best-seller *Pai rico, pai pobre*

Quando Hal vivenciou o segundo dos seus dois fundos do poço (o primeiro foi quando ele morreu por seis minutos em um acidente de carro, e o segundo quando a empresa dele faliu devido ao colapso financeiro de 2008), ele ficou perdido e deprimido. Aplicar os conhecimentos que ele já tinha não funcionou. Nada melhorava a situação. Então, Hal começou uma busca pela estratégia mais rápida e eficaz para levar o sucesso a outro patamar e procurou as melhores práticas de desenvolvimento pessoal utilizadas pelas pessoas mais bem-sucedidas do mundo.

Essa busca o levou a criar uma lista de seis práticas de desenvolvimento pessoal mais atemporais, eficazes e comprovadas do mundo. Eram as que forneciam os melhores resultados, de modo duradouro, às pessoas que as utilizavam.

Primeiro Hal tentou determinar uma ou duas práticas capazes de acelerar seu sucesso. Contudo, o avanço ocorreu quando ele fez uma pergunta simples: *O que aconteceria se eu fizesse TODAS elas?*

Então ele experimentou isso. Apenas dois meses depois de implementar as seis práticas quase todos os dias, Hal vivenciou o que se pode chamar de resultados "milagrosos". Ele conseguiu mais que dobrar sua renda e evoluir de alguém que não corria mais de um quilômetro a treinar para uma ultramaratona de 83 quilômetros. Essas seis práticas não só o tiraram do fundo do poço como também acabaram sendo a melhor forma de levar a capacidade física, mental, emocional e espiritual dele a um novo patamar.

Tive um progresso radical semelhante nos negócios. Não houve acidente de carro, felizmente, mas também foi transformador. Eu já tinha descoberto que assumir o controle das manhãs estava diretamente ligado a aumentar minha riqueza, mas o que fez a diferença não foi só acordar cedo. Foi acordar cedo e *seguir uma rotina bem específica*. A conexão entre as manhãs e meu status de milionário estava diretamente relacionada a seis práticas, o processo matinal que Hal chama de Salvadores de Vida.

Vamos recapitular. Nós já mostramos por que as manhãs são importantes e demos as ferramentas para você começar a transição e virar uma pessoa matutina.

A pergunta óbvia agora é: *O que fazer com esse tempo?*

Este capítulo é a resposta para essa pergunta.

POR QUE OS SALVADORES DE VIDA FUNCIONAM?

Os Salvadores de Vida são práticas diárias simples e profundamente eficazes que vão permitir que você se desenvolva. Eles também ajudam a obter uma clareza verdadeira, o tipo de visão de alto nível e sem minúcias para planejar e experimentar a vida nos seus termos. Os Salvadores de Vida são feitos para colocar você no auge físico, mental, emocional e espiritual a cada manhã, um estado no qual você vai se sentir incrível, manter um aperfeiçoamento constante e *sempre* fazendo o seu melhor.

Sei o que você está pensando: *Não tenho tempo. Como vou fazer mais seis práticas quando mal consigo sair de casa toda manhã?*

Acredite, eu sei como é. Antes de começar *O milagre da manhã*, eu acordava no meio de um caos completo. Como você, eu mal tinha tempo de me vestir, comer e sair para cumprir a primeira obrigação do dia.

Você provavelmente pensa que mal consegue dar conta dos seus afazeres atuais, que dirá do que deseja fazer, mas eu também "não tinha tempo" antes do *Milagre da manhã*. E agora tenho mais tempo, prosperidade e uma vida mais tranquila do que nunca.

O segredo que você precisa saber agora é que *O milagre da manhã vai criar tempo para você*. Os Salvadores de Vida são o veículo para ajudá-lo a se reconectar com sua verdadeira essência e acordar com um propósito em vez de uma obrigação. Essas práticas ajudam a ter disposição, ver as prioridades com mais clareza e encontrar o fluxo mais produtivo da sua vida. Quando você passa mais tempo nesse estado, consegue ser mais produtivo a cada dia, tem menos emergências e mais disposição.

Em outras palavras, os Salvadores de Vida não tiram tempo do seu dia, e sim acrescentam.

Cada um dos Salvadores de Vida representa uma das melhores práticas utilizadas pelas pessoas mais bem-sucedidas do planeta. De astros e estrelas do cinema e atletas profissionais de alto nível a CEOs e empreendedores, vai ser difícil encontrar um profissional de elite que não pratique pelo menos um dos Salvadores de Vida.

É isso que faz *O milagre da manhã* ser tão eficaz: você está convocando os benefícios transformadores não só de uma, como de todas as seis melhores e mais eficazes práticas criadas ao longo de séculos de desenvolvimento da consciência humana e combinando todas em um ritual matinal conciso e totalmente personalizável.

Os Salvadores de Vida são:

Silêncio
Afirmações
Visualizações
Exercícios
Leitura
Escrita

Pode acreditar: os Salvadores de Vida são uma ferramenta imensamente poderosa para desenvolver a riqueza. Realizar essas seis práticas é o melhor jeito de expandir o impacto do recém-descoberto ritual de *O milagre da manhã*. Elas são personalizáveis e se adaptam ao seu estilo de vida e a seus objetivos específicos. E você já pode colocá-los em prática quando acordar amanhã cedo.

Vamos analisar cada um dos Salvadores de Vida em detalhes.

SILÊNCIO

A maioria das pessoas só começa o dia quando não tem mais jeito: no momento em que o despertador toca. Para eles, e talvez para você, o primeiro som do dia é o ruído irritante do celular ou do despertador.

Daí em diante, são mais "ruídos": procurar a tela mais próxima, onde uma grande quantidade de e-mails, telefonemas, redes sociais, mensagens de texto e as notícias do dia disputam sua atenção.

Quando você para um tempo para analisar, não fica surpreso por ter passado os dias correndo da manhã à noite, lutando o dia inteiro para recuperar o controle? A sensação de sobrecarga não o assusta?

O primeiro dos Salvadores de Vida é o *silêncio*, uma oportunidade para descobrir o poder de começar cada dia com um silêncio tranquilo e proposital que vai reduzir de imediato o nível de estresse e trazer a clareza que vai lhe permitir manter o foco no que é mais importante para você.

É claro que o silêncio não significa ficar à toa. Longe disso. O silêncio de *O milagre da manhã* é deliberado e há vários modos de praticá-lo. Em nenhuma ordem específica, aqui estão alguns para começar:

- Meditação
- Oração
- Reflexão
- Respiração profunda
- Gratidão

Várias pessoas bem-sucedidas são praticantes diárias do silêncio em todo o mundo. Não surpreende que Oprah pratique o silêncio e quase todos os outros Salvadores de Vida. A cantora Katy Perry é adepta da meditação transcendental, assim como Sheryl Crow e Sir Paul McCartney. Os astros e estrelas do cinema e da TV Jennifer Aniston, Ellen DeGeneres, Jerry Seinfeld, Howard Stern, Cameron Diaz, Clint Eastwood e Hugh Jackman já falaram sobre a prática diária de meditação que fazem. Até bilionários famosos como Ray Dalio e Rupert Murdoch atribuem o sucesso financeiro à prática diária do silêncio. Você vai estar em boa (e silenciosa) companhia ao fazer o mesmo.

Em uma entrevista para a revista *Shape*, a atriz e cantora Kristen Bell disse: "Faça ioga meditativa por dez minutos toda manhã. Quando você tiver um problema, seja raiva no trânsito, do seu parceiro ou do trabalho, a meditação vai permitir que tudo se desenrole como deveria."

E não tenha medo de expandir seus horizontes. A meditação acontece de várias formas. Como disse Angelina Jolie à *Stylist Magazine*: "Eu encontro meditação sentando no chão com as crianças e colorindo por uma hora ou pulando na cama elástica. Você faz o que ama, fica feliz e isso é a sua meditação."

Os benefícios do silêncio

O estresse é um dos efeitos colaterais mais comuns de uma vida ocupada. E também está presente no caminho para a riqueza, com as eternas distrações de outras pessoas invadindo sua agenda e os inevitáveis incêndios que precisam ser apagados. Colegas de trabalho, funcionários e parentes, todos têm a estranha capacidade de apertar nossos "botões de estresse". E estes ficam muito mais sensíveis quando você inicia o dia com pressa.

O estresse excessivo é terrível para a saúde. Ele ativa sua resposta de lutar ou fugir, liberando uma cascata de hormônios tóxicos que podem ficar no corpo por vários dias. De acordo com o site *Psychology Today*: "O hormônio do estresse, chamado cortisol, é o inimigo número um da saúde. Cientistas sabem há anos que o nível elevado de cortisol afeta o aprendizado e a memória, além de diminuir a função imunológica e a densidade óssea, aumentar o ganho de peso, a pressão sanguínea, o colesterol, as doenças cardíacas... A lista não tem fim. O estresse crônico e o nível elevado de cortisol também aumentam o risco de depressão e de transtornos psicológicos, e ainda diminuem a expectativa de vida."

Até aí, tudo bem... *se* você vive esse tipo de estresse apenas de vez em quando. Mas quantos de nós o enfrentamos praticamente o tempo todo? Quantas vezes por dia você se vê em situações estressantes? Quantas vezes precisa lidar com necessidades imediatas que o afastam de sua visão ou do seu plano? Se o seu dia é uma longa liberação de cortisol, começar a manhã com um momento calmo é a sua primeira linha de defesa.

O silêncio na forma de meditação reduz o estresse e melhora a saúde. Um grande estudo feito por vários grupos — incluindo o National Institute of Health, a Associação Médica Americana, a Clínica Mayo e cientistas de Harvard e Stanford — revelou que a meditação reduz o estresse e a hipertensão. Um estudo recente conduzido pelo Dr. Norman Rosenthal, psiquiatra de renome mundial que trabalha com a David Lynch Foundation, descobriu até que praticantes de meditação têm 30% menos chances de morrer de doenças cardíacas.

Outro estudo de Harvard descobriu que apenas oito semanas de meditação podem levar ao "aumento na densidade da substância cinzenta no hipocampo, conhecido pela importância para o aprendizado e a memória, além das estruturas associadas à compaixão, introspecção e autoconhecimento".

A meditação ajuda a desacelerar e a se concentrar em você, mesmo que seja apenas por um breve período de tempo. "Comecei a meditar por sentir que precisava fazer minha vida parar de me controlar", explicou a cantora Sheryl Crow. "A meditação ajudou a desacelerar meu dia." Ela reserva vinte minutos toda manhã e outros vinte à noite para a meditação.

Ficar em silêncio abre espaço para colocar sua máscara de oxigênio antes de ajudar os outros. Praticar o silêncio traz clareza e paz de espírito, ajuda a reduzir o estresse, aumentar o desempenho cognitivo e ganhar confiança.

Meditações guiadas e aplicativos de meditação

A meditação é como tudo na vida. Se você nunca fez isso antes, pode ser difícil ou parecer estranho no começo. Caso esteja meditando pela primeira vez, recomendo começar com uma meditação guiada.

Aqui estão alguns dos meus aplicativos de meditação prediletos disponíveis para iPhone/iPad e dispositivos Android:

- Headspace
- Calm
- Omvana
- Simply Being
- Insight Timer
- Oak

Existem diferenças sutis e significativas entre esses aplicativos de meditação, e uma delas é a voz do guia de meditação.

Se você não tem um dispositivo que permita baixar aplicativos, basta ir ao YouTube ou Google e procurar as palavras-chave "meditação guiada". Você também pode buscar por duração ("meditação guiada de cinco minutos", por exemplo) ou assunto ("meditação guiada para aumentar a confiança", por exemplo).

Meditação (individual) de *O milagre da manhã*

Quando estiver pronto para tentar meditar sozinho, aqui está uma meditação simples e detalhada que você pode usar durante seu *Milagre da manhã*, mesmo que nunca tenha feito isso antes.

Antes de começar, é importante se preparar e definir expectativas. Este é o momento de aquietar a mente e abrir mão da necessidade compulsiva de pensar em algo, como reviver o passado ou se preocupar com o futuro sem viver totalmente no presente. Este é o momento de se desligar do estresse, dar uma pausa na preocupação com seus problemas e estar presente. É o momento de acessar a essência de quem você realmente é, de ir mais fundo do que suas posses, o que você faz ou os rótulos que aceitou para definir quem você é. Se isso parece estranho ou "hippie" demais, não tem problema. Minha sugestão é abrir-se para a ideia de experimentar. É bem fácil:

- Encontre um local calmo e confortável para sentar: sofá, cadeira, chão ou almofada, se quiser aumentar o conforto.
- Sente-se com a coluna reta e de pernas cruzadas. Você pode fechar os olhos ou olhar para um ponto no chão, cerca de dois metros à frente.
- Comece mantendo o foco na respiração lenta e profunda. Inspire pelo nariz, expire pela boca e respire pela barriga em vez do tórax. A respiração mais eficaz deve fazer a barriga se expandir, não o peito.
- Agora comece a acertar o ritmo da respiração, inspirando lentamente em uma contagem de três segundos (dizendo mentalmente "mil e um, mil e dois, mil e três") e depois expirando lentamente em uma contagem de três segundos (mil e um, mil e dois, mil e três). Sinta os pensamentos e emoções se acalmarem enquanto se concentra na respiração.
- Tenha consciência de que, ao tentar acalmar a mente, os pensamentos ainda vão aparecer. Apenas reconheça a existência deles e deixe-os ir embora, sempre voltando o foco para a respiração.
- Permita-se estar totalmente presente neste momento. Algumas pessoas chamam isto de *ser*. Não pensar, não fazer, apenas *ser*. Continue a se concentrar na respiração e se imagine inspirando energia positiva, amorosa e tranquila, depois expirando todas as suas preocupações e o estresse. Aprecie a quietude, aprecie o momento. Apenas respire, apenas seja.
- Se você tiver um fluxo constante de pensamentos, talvez seja bom se concentrar em uma palavra ou frase e repeti-la mentalmente enquanto inspira e expira. Por exemplo, você pode experimentar algo como: "Eu inspiro confiança..." (ao inspirar) "Eu expiro medo..." (ao expirar). Você

pode trocar a palavra *confiança* por algo que precise trazer mais para a vida (amor, fé, energia etc.) e trocar a palavra *medo* por algo de que precise se livrar (estresse, preocupação, ressentimento etc.).

A meditação é um presente que você pode dar a si mesmo todos os dias. Para muitos praticantes de *O milagre da manhã*, o tempo dedicado à meditação virou uma das partes favoritas da rotina matinal. É o momento de estar em paz, vivenciar a gratidão e se libertar dos estresses e preocupações do dia a dia.

Pense na meditação diária como férias dos seus problemas. Embora seus problemas continuem lá quando terminar a prática, você vai descobrir que está muito mais equilibrado e mais bem preparado para resolvê-los.

Para muitas pessoas, essa é a etapa mais fácil de pular para chegar aos aspectos mais ativos e tangíveis dos Salvadores de Vida. Resista à tentação: não importa a forma que o seu silêncio tenha, não pule essa etapa.

Lembre-se: você escolhe a sua forma de silêncio. A decisão é sua. Eu pratico o silêncio na cama para não perturbar minha esposa, que costuma levantar quando eu também levanto. (Um aviso, contudo: praticar o silêncio na cama é uma técnica de nível avançado, sobretudo se você tende a cochilar quando está deitado no escuro e com as luzes desligadas. Se você tiver dificuldade para acordar, dedique atenção especial às cinco etapas originais do Capítulo 2.) Eu deito na cama e tento estimular a gratidão todas as manhãs, criando um espaço de agradecimento pelo que tenho. Eu realmente acredito que a gratidão é uma parte essencial para construir uma vida incrível. A gratidão abre muito espaço para que você conquiste mais e deixa pouco espaço para emoções menos produtivas.

Enquanto estou deitado nos primeiros momentos da manhã, fecho os olhos e reconheço a boa sorte que tenho pelos meus filhos, pela minha saúde e da minha família e pelos ótimos parceiros nos negócios e na vida. Cada um deles tem um papel crucial para construir riqueza e uma vida de valor, e sou grato por tudo isso.

AFIRMAÇÕES

Você já se perguntou como algumas pessoas parecem boas em tudo o que fazem, chegando sempre a um nível tão alto que você não faz ideia de como se juntar a elas? Ou por que outras parecem fracassar em tudo?

Em geral, a *mentalidade* é o principal fator que leva uma pessoa a ter resultados positivos ou negativos.

A mentalidade pode ser definida como o acúmulo de crenças, atitudes e inteligência emocional. Em seu livro de sucesso *Mindset: A nova psicologia do sucesso*, a Ph.D. Carol S. Dweck explica: "Minhas pesquisas ao longo de vinte anos mostraram que a opinião que você adota a respeito de si mesmo afeta profundamente a maneira como leva a vida."

A mentalidade é fundamental para criar riqueza. Ela aparece de modo inegável em sua linguagem, sua confiança e seu comportamento. A mentalidade afeta *tudo*. Mostre-me alguém com uma mentalidade bem-sucedida e eu mostrarei um futuro milionário.

Contudo, sei por experiência própria o quanto pode ser difícil manter a mentalidade, a confiança, o entusiasmo e a motivação durante a montanha-russa que vem com o fato de ficar milionário. Em geral isso acontece porque a mentalidade é algo que adotamos sem pensamento consciente. Em nível subconsciente, fomos programados para pensar, acreditar, agir e ter um diálogo interno de determinada forma.

Essa programação é resultado de muitas influências, incluindo o que outros nos falaram, o que dizemos a nós mesmos e todas as nossas experiências de vida, tanto boas quanto ruins. Essa programação se expressa em todas as áreas da vida, incluindo o que sentimos, pensamos e como agimos em relação ao dinheiro. Isso significa que, se desejamos ser melhores em nossas relações, precisamos atualizar essa programação mental.

As afirmações são uma ferramenta para fazer exatamente isso. Elas permitem que você fique mais intencional em relação a seus objetivos, fornecendo o estímulo e a mentalidade positiva de que você precisa para conquistá-los. Ao dizer repetidamente para si mesmo quem você quer ser, o que deseja conquistar e como vai chegar a esses resultados, o subconsciente vai mudar suas crenças e seus comportamentos. Quando você passar a acreditar e agir de novas maneiras, começará a manifestar suas afirmações, transformando-as em realidade.

A ciência já provou que as afirmações, quando feitas corretamente, são uma das ferramentas mais eficazes para se transformar rapidamente na pessoa que você precisa ser de modo a conquistar tudo o que deseja na vida. Mesmo assim, as afirmações têm má fama. Muita gente já as experimentou e se decepcionou. Contudo, existe um jeito de usar as afirmações de modo a produzir resultados concretos.

Por que o jeito antigo de fazer afirmações não funciona?

Por décadas, incontáveis "especialistas" e "gurus" ensinaram afirmações de modo comprovadamente ineficaz, levando as pessoas ao fracasso. Aqui estão os dois problemas mais comuns relacionados às afirmações.

Primeiro problema: mentir para si mesmo não funciona

Eu sou milionário. Sério?

Tenho 7% de gordura corporal. Tem mesmo?

Conquistei todos os meus objetivos este ano. Conquistou, é?

Criar afirmações como se você já tivesse se transformado ou conquistado algo pode ser o maior motivo de as afirmações não serem eficazes para a maioria das pessoas.

Com essa técnica, toda vez que você recita uma afirmação que não está baseada na verdade, o subconsciente resiste a ela. Como você é um ser humano inteligente e não está delirando, mentir para si mesmo nunca será a melhor estratégia. A verdade sempre prevalecerá.

Segundo problema: a linguagem passiva não produz resultados

Muitas afirmações são feitas para que você se sinta bem criando uma promessa vazia de algo que deseja. Por exemplo, esta é uma afirmação sobre dinheiro bastante popular que vem sendo perpetuada por muitos gurus de renome internacional:

Sou um ímã de dinheiro. O dinheiro flui para mim sem esforço e em abundância.

Esse tipo de afirmação pode fazer você se sentir bem naquele momento, ao dar uma falsa sensação de alívio em relação às preocupações financeiras, mas não vai gerar renda alguma. Quem ficar sentado esperando o dinheiro chegar magicamente não vai ficar milionário.

Para gerar o tipo de abundância que você deseja (ou qualquer resultado, por sinal), é preciso agir. As ações precisam estar alinhadas com os resultados desejados, e suas afirmações precisam articular e afirmar ambos.

Quatro passos para criar afirmações de *O milagre da manhã* (que dão resultado)

Estes são quatro passos simples para criar e implementar afirmações de *O milagre da manhã* que vão programar o subconsciente, direcionando o consciente para atualizar seu comportamento, produzir resultados e levar seu nível de sucesso pessoal e profissional para além de tudo o que você já vivenciou.

Primeiro passo: identificar o resultado ideal que você se compromete a alcançar e por quê

Observe que não estou começando pelo que você quer. Todos nós queremos algo, mas não conseguimos o que desejamos e sim o que nos comprometemos a conseguir. Você quer ser milionário? Quem não quer? Junte-se a esse clube, que está longe de ser exclusivo. Agora, você se compromete totalmente a se transformar em um milionário ao esclarecer e realizar as ações necessárias até conquistar o resultado? Agora sim, podemos conversar.

Ação: comece escrevendo um resultado específico e extraordinário que desafie você, melhore significativamente a sua vida e com o qual você está pronto para se comprometer em criá-lo, mesmo que ainda não tenha certeza de como vai fazer isso. Depois reforce o compromisso incluindo o porquê, o motivo irrefutável pelo qual você está disposto a manter esse compromisso.

Exemplos:

Eu me comprometo totalmente a ser o mais saudável possível, de modo a ter disposição para estar totalmente presente nos meus negócios e com as pessoas ao meu redor.

Ou:

Eu me comprometo a duplicar minha renda nos próximos 12 meses, de R$ _____ a R$ _____, de modo a fornecer segurança financeira para minha família.

Segundo passo: definir as ações necessárias que você se compromete a fazer e quando

Escrever uma afirmação que apenas diga o que você quer sem especificar o que se compromete a fazer é inútil e pode até atrapalhar, pois leva o subconsciente a pensar que o resultado vai acontecer de modo automático e sem esforço.

Ação: esclareça de modo bem específico a ação, atividade ou hábito necessário para obter o resultado ideal e diga claramente quando e com que frequência vai realizá-las.

Exemplos:

Para garantir que fique o mais saudável possível, eu me comprometo totalmente a ir à academia cinco dias por semana e correr na esteira por no mínimo vinte minutos por dia, das 6 às 7 horas.

Ou:

Para garantir que vou duplicar minha renda, eu me comprometo a duplicar meus telefonemas diários de prospecção de clientes de vinte para quarenta ligações por dia, cinco dias por semana, das 8 às 9 horas, não importa o que aconteça.

Quanto mais específicas forem as suas ações, melhor. Não se esqueça de incluir a frequência (quantas vezes), a carga (quanto) e os horários precisos (quando você vai começar e terminar suas atividades).

Terceiro passo: recite suas afirmações toda manhã (com emoção)

Lembre-se: as afirmações de O milagre da manhã não são feitas apenas para fazer você se sentir bem. Essas declarações escritas foram estrategicamente criadas para programar o subconsciente com as crenças e a mentalidade de que você precisa a fim de conquistar o resultado desejado, direcionando a mente consciente para manter o foco em suas maiores prioridades e tomar as atitudes que vão ajudar você a chegar lá.

Contudo, para que as afirmações sejam eficazes, é preciso mobilizar as emoções ao recitá-las. Apenas repetir uma afirmação sem sentir a verdade dela terá impacto mínimo para você. É preciso assumir a responsabilidade por gerar emoções autênticas como empolgação e determinação e injetá-las de modo poderoso em toda afirmação que você recitar.

É preciso afirmar quem você precisa ser a fim de fazer o necessário para obter os resultados que deseja. Vou dizer de novo: não é mágica. Essa estratégia funciona quando você se conecta com a pessoa que precisa ser para conquistar seus objetivos. Mais do que tudo, o que atrai os resultados é quem você é.

Ação: reserve um tempo todos os dias para ler suas afirmações durante seu *Milagre da manhã*, de modo a programar o subconsciente e concentrar a mente consciente no que mais importa para você e no que você se compromete a fazer a fim de transformar isso em realidade. Sim, é preciso lê-las todos os dias. Recitar suas afirmações ocasionalmente é tão eficaz quanto fazer exercícios físicos ocasionalmente. Você só terá resultados quando incorporá-los a sua rotina diária.

Um ótimo lugar para ler afirmações é no chuveiro. Se você plastificá--las e deixar no boxe, elas vão estar na sua frente todos os dias. Coloque-as em todos os lugares possíveis: um cartão embaixo do quebra-sol do carro, um adesivo no espelho do banheiro. Quanto mais você encontrar essas afirmações, mais o subconsciente poderá se conectar a elas para mudar seu pensamento e suas ações. Vale até escrever direto no espelho com canetas especiais.

Quarto passo: atualizar e evoluir constantemente as afirmações

À medida que você cresce, melhora e evolui, as suas afirmações precisam fazer o mesmo. Quando você decidir um novo objetivo, sonho ou resultado extraordinário que deseja criar para sua vida, precisará adicioná-lo às afirmações.

Tenho afirmações para cada área importante da vida (finanças, saúde, felicidade, relacionamentos, criação dos filhos etc.) e atualizo todas continuamente à medida que aprendo mais. E estou sempre procurando citações, estratégias e filosofias que posso adicionar para aperfeiçoar minha mentalidade. Sempre que você esbarrar em uma citação ou filosofia e pensar: "Nossa, essa é uma área em que posso fazer uma imensa melhoria na minha vida", adicione-a às suas afirmações.

Tenho algumas frases e afirmações que uso regularmente. Minhas favoritas são as que afirmam o dia que está por vir. Gosto de começar o dia com otimismo. Para isso, uso afirmações simples, como:

Hoje será um ótimo dia.

Tudo vai sair do meu jeito hoje.

Vou ser um instrumento do bem e receberei bons resultados.

Lembre-se: suas afirmações devem ser personalizadas para você e feitas em primeira pessoa. Elas precisam ser específicas para funcionar no subconsciente.

Resumindo, suas novas afirmações articulam os resultados extraordinários que você se compromete a criar, os motivos pelos quais eles são importantes para você e, acima de tudo, que ações necessárias você se compromete a realizar e quando vai realizá-las para obter e sustentar o nível extraordinário de sucesso que deseja (e merece) para sua vida.

Afirmações para criar riqueza de *Nível 10*

Além da fórmula para criar suas afirmações, forneço a seguir uma lista de exemplos de afirmações que podem ativar sua criatividade. Sinta-se à vontade para incluir as frases com as quais se identifica.

- Tenho tanto valor, merecimento e capacidade de conquistar riqueza quanto qualquer outra pessoa e vou provar isso hoje com meus atos.
- Onde estou hoje é resultado de quem fui, mas para onde vou depende inteiramente da pessoa em que eu escolher me transformar a partir de hoje.
- Eu me comprometo totalmente a dedicar entre trinta e sessenta minutos todos os dias ao *Milagre da manhã* e aos Salvadores de Vida, para continuar me transformando na pessoa que preciso ser a fim de criar tudo o que desejo para minha vida.

- Eu me concentro em aprender algo novo e aperfeiçoar minhas habilidades diariamente e me comprometo a ler ou reler pelo menos um livro para ajudar nessa empreitada todo mês.
- Eu me comprometo a me aperfeiçoar de modo constante e incansável nas tarefas necessárias para funcionar melhor no dia a dia.
- Eu me comprometo a um período "desconectado" a cada semana e mês a fim de manter o foco e a perspectiva, além da saúde física e mental.
- Eu me comprometo a fazer exercícios físicos por vinte minutos todos os dias.

Esses são apenas alguns exemplos de afirmações. Você pode usar todas com as quais se identifique, mas experimente criar as suas usando a fórmula de quatro passos descrita nas páginas anteriores. Tudo o que você repetir várias vezes com emoção será programado no subconsciente, ajudando a formar novas crenças, que vão se manifestar por meio de suas ações.

O fato de ser possível reprogramar qualquer limitação e criar novos comportamentos é uma perspectiva animadora. Sua programação pode mudar e melhorar a qualquer momento, então por que não começar *agora*?

VISUALIZAÇÃO

A visualização é uma prática muito conhecida entre esportistas de todo o mundo. Atletas olímpicos e de alto nível incorporam a visualização como parte crucial do treinamento diário para melhorar o desempenho. O fato pouco conhecido é que empreendedores bem-sucedidos e pessoas com alto desempenho financeiro também a usam com a mesma frequência.

A visualização é uma técnica em que você usa a imaginação para criar uma imagem convincente do futuro, fornecendo maior clareza e produzindo a motivação para transformar sua visão em realidade.

Se você quiser obter algumas informações fascinantes sobre o motivo de a visualização funcionar, basta jogar "neurônios espelho" no Google.

O neurônio é a célula que conecta o cérebro e outras partes do corpo, e um neurônio espelho é o que dispara ou envia um impulso quando agimos ou observamos outra pessoa agir. Essa é uma área relativamente nova de estudos dentro da neurologia, mas parece que essas células permitem melhorar nossas habilidades observando outras pessoas ou nos visualizando com essas habilidades. Alguns estudos indicam, por exemplo, que levantadores de peso experientes podem aumentar a massa muscular com sessões de visualização, e os neurônios espelho são responsáveis por isso. De várias formas, o cérebro não consegue perceber a diferença entre uma visualização vívida e uma experiência real.

Se você tiver dúvidas quanto ao valor da visualização, a ciência sugere que é melhor manter a mente aberta!

O que você visualiza?

Hal usou a visualização para alcançar um objetivo difícil que estava longe de sua zona de conforto. Ele detestava correr, mas assumiu um compromisso consigo mesmo (e publicamente) de correr uma ultramaratona de 83 quilômetros. Ao longo de cinco meses de treinamento, ele usou a visualização de *O milagre da manhã* para se ver amarrando os cadarços dos tênis e saindo para correr, com um sorriso no rosto e muita disposição. Quando chegasse a hora de treinar, ele já teria programado a experiência para ser positiva e prazerosa.

Você pode escolher qualquer ação necessária em seu caminho para a riqueza ou uma habilidade que ainda não domine. Pode até visualizar algo a que costuma resistir e que tende a procrastinar, criando uma experiência mental e emocional irresistível naquela ação. Não há limites sobre o que se pode visualizar, mas há formas de fazer o seu esforço gerar resultados melhores.

Três passos simples para a visualização de *O milagre da manhã*

A visualização combina perfeitamente com as afirmações, sendo o próximo passo natural em sua rotina matinal. A hora perfeita para você se imaginar vivendo de acordo com suas afirmações é logo após lê-las. Aqui estão os três passos seguidos por milhares de praticantes de *O milagre da manhã*.

Primeiro passo: preparação

Algumas pessoas gostam de colocar música instrumental no fundo, como obras clássicas ou barrocas (recomendo todas as composições de Johann Sebastian Bach), durante a visualização. Se você quiser ouvir música, coloque em um volume relativamente baixo. Pessoalmente, tudo o que tem palavras me distrai muito.

Agora, sente-se com a coluna reta em posição confortável. Pode ser em uma cadeira, sofá ou no chão com uma almofada. Respire fundo. Feche os olhos, esvazie a mente e abra mão de quaisquer limitações que você se impôs ao se preparar para os benefícios da visualização.

Segundo passo: visualizar o que você realmente deseja

Muitas pessoas não se sentem confortáveis visualizando o sucesso e têm um medo inconsciente de serem bem-sucedidas. Algumas podem resistir e até sentir culpa por deixarem 95% dos colegas, amigos e familiares para trás quando conquistarem o sucesso.

Esta famosa frase de Marianne Williamson é um ótimo lembrete para quem enfrentar obstáculos mentais ou emocionais ao visualizar: "Nosso medo mais profundo não é da inadequação. O medo mais profundo é do poder além de qualquer medida. É a luz, não a escuridão que mais nos assusta. Nós questionamos: 'Quem sou eu para ser brilhante, ter beleza, talento e ser incrível?' Na verdade, quem é você para não ser tudo isso? Você é filho(a) de Deus. Minimizar seus talentos não ajuda o mundo. Não há nada iluminado em se diminuir para que outros não se sintam inseguros ao seu redor. Todos estamos aqui para brilhar, como as crianças. Nascemos para manifestar a glória de Deus que está em nós. Não só em alguns, em todos. E, se deixamos nossa luz brilhar, inconscientemente damos permissão aos outros para fazerem o mesmo. Ao nos libertarmos do medo, nossa presença automaticamente liberta os demais."

Pense que o maior presente que você pode dar a quem ama e aos seus funcionários é viver o seu potencial completo. Como é isso para você? O que você realmente deseja? Esqueça a lógica, os limites e a viabilidade. Se você pudesse ter tudo o que desejasse em termos pessoais e profissionais, como isso seria?

Veja, sinta, ouça, toque, sinta o gosto e o cheiro de cada detalhe dessa visão. Envolva todos os sentidos para maximizar a eficácia. Quanto mais vívida for a visão, maior será a motivação para tomar as atitudes necessárias e transformá-la em realidade.

Terceiro passo: visualizar-se realizando e apreciando as ações necessárias

Após criar a imagem mental clara do que deseja, comece a se imaginar fazendo exatamente o que precisa para transformar sua visão em realidade, agindo com extrema confiança e apreciando cada etapa do processo. Visualize-se envolvido nas ações que precisa realizar (fazendo exercícios físicos, escrevendo, vendendo, apresentando, falando em público, fazendo telefonemas, enviando e-mails etc.). Imagine como seria e a sensação de confiança suprema ao mostrar sua ideia para aquela empresa de capital de risco a fim de conseguir financiamento. Visualize e sinta o sorriso ao correr na esteira, repleto de orgulho pela sua disciplina para manter seu compromisso. Em outras palavras, imagine-se fazendo o necessário e apreciando o processo, sobretudo se for algo que você não aprecia naturalmente. Imagine como seria a sensação se você apreciasse.

Visualize o olhar de determinação em seu rosto enquanto faz sua empresa avançar de modo consciente e confiante, fecha mais vendas ou toma decisões de investimento eficazes. Visualize seus colegas, colaboradores, clientes e sócios reagindo a sua atitude positiva e perspectiva otimista.

Visualizar-se como a pessoa que tem tudo sob controle é a primeira etapa para realmente ter tudo sob controle.

Considerações finais sobre visualização

Ao combinar a leitura das afirmações toda manhã com a visualização diária, você vai turbinar a programação do subconsciente rumo ao sucesso por meio do desempenho máximo. Ao visualizar diariamente, você alinha os pensamentos e sentimentos a sua visão. Assim fica mais fácil manter a motivação para fazer o que precisa ser feito e obter sucesso. A visualização pode ser um auxílio poderoso para superar crenças e hábitos limitadores como a procrastinação e fazer você desempenhar de modo **duradouro** as ações necessárias para conseguir resultados extraordinários.

Na "Segunda lição: você, milionário", vamos explorar a visualização com mais profundidade quando você criar sua Visão Milionária usando a mesma abordagem que eu uso até hoje.

EXERCÍCIOS

A atividade física precisa ser um componente básico do seu *Milagre da manhã*. Até mesmo poucos minutos de exercícios diários podem melhorar significativamente a saúde, aumentar a autoconfiança e bem-estar emocional, permitindo que você pense melhor e se concentre mais. Você também vai notar um aumento na disposição ao se exercitar diariamente.

Os especialistas em desenvolvimento pessoal e empreendedores multimilionários Eben Pagan e Tony Robbins concordam que o principal segredo para ser bem-sucedido é começar as manhãs com um ritual pessoal de sucesso. E o ritual de ambos inclui algum tipo de exercício físico matinal. Eben define a importância dessa prática: "Você precisa aumentar a frequência cardíaca, fazer o sangue fluir e encher os pulmões de oxigênio toda manhã." Ele explica: "Não faça exercícios apenas no meio ou no final do dia. E mesmo que você goste de se exercitar nesses horários, sempre incorpore pelo menos dez a vinte minutos de polichinelos ou algum tipo de exercício aeróbico de manhã." Bom, se funciona para Eben e Tony, funcionará para mim e para você também.

Caso você tenha medo de treinar para um triatlo ou maratona, fique tranquilo. Uma quantidade modesta de atividade física, sobretudo se você for sedentário, pode mudar radicalmente a sua vida. Se você já fizer atividade física, não precisa substituir o regime vespertino ou noturno de exercícios que já segue. Pode continuar indo à academia no horário de sempre. Contudo, os benefícios de adicionar no mínimo cinco minutos de exercícios matinais são inegáveis, incluindo diminuição da pressão sanguínea, do nível de glicose no sangue e do risco de todo tipo de enfermidades assustadoras, como doenças cardíacas, osteoporose, câncer e diabetes. E talvez o mais importante: um pouco de atividade física de manhã vai aumentar a disposição que o ajudará a lidar com os altos e baixos da vida no resto do dia.

Você pode fazer uma caminhada ou corrida, acompanhar um vídeo de ioga no YouTube ou encontrar um parceiro de Salvadores de Vida e jogar um pouco de raquetebol matinal. Há também um aplicativo excelente chamado 7 Minute Workout (Exercícios de Sete Minutos) que fornece ginástica para o corpo todo em (isso mesmo) sete minutos. A escolha é sua: pegue uma atividade e faça.

Existe um motivo para ficar saudável. Você precisa de uma reserva infinita de energia para enfrentar os desafios que surgirem pelo caminho da melhor forma possível, e a prática matinal e diária de exercícios é a melhor forma de conseguir isso.

Exercícios para o cérebro

Mesmo que não se importe com a saúde física, saiba que os exercícios vão deixar você mais *inteligente*. O Dr. Steven Masley, médico e nutricionista da Flórida que tem uma clientela de executivos, explica a relação direta entre atividade física e capacidade cognitiva.

"Se estamos falando de desempenho, o melhor indicador da velocidade cerebral é a capacidade aeróbica. A forma de subir uma ladeira correndo está fortemente ligada à velocidade cerebral e à capacidade cognitiva", define Masley.

Masley criou um programa de bem-estar corporativo baseado no trabalho feito com mais de mil pacientes. "A pessoa comum que entrar nesses programas vai aumentar a velocidade cerebral de 25 a 30%."

Hal escolheu a ioga como exercício físico e começou a praticá-la assim que criou *O milagre da manhã*. Ele continuou fazendo e amando a prática desde então. Normalmente eu faço um pouco de musculação com halteres e passeio com o cachorro. Quando estou viajando, me contento com flexões de braço e tento fazer cem, mas não de uma só vez!

Considerações finais sobre exercícios

Você provavelmente já sabe que é preciso se exercitar de modo consistente para manter a saúde e aumentar a disposição. Isso não chega a ser novidade para ninguém, mas é muito fácil inventar desculpas para não se exercitar. As duas principais são "Não tenho tempo" e "Estou muito cansado". E essas são apenas as primeiras da lista. Não há limite para as desculpas em que se pode pensar. Quanto maior a sua criatividade, mais desculpas você poderá inventar!

Essa é a beleza de incorporar os exercícios físicos ao seu *Milagre da manhã*: eles serão feitos antes de você se cansar e ter um dia inteiro para inventar desculpas. Por ser a primeira atividade do dia, *O milagre da manhã* é infalível para evitar todas as desculpas e transformar os exercícios em hábito diário.

Aviso de responsabilidade: eu nem precisava dizer, mas é preciso consultar um médico antes de começar um regime de exercícios físicos, sobretudo se você estiver sentindo qualquer tipo de dor física, desconforto, se tiver alguma deficiência etc. Talvez seja preciso alterar ou até abster-se da rotina de exercícios físicos para atender as suas necessidades específicas.

LEITURA

Uma das formas mais rápidas de conquistar tudo o que você deseja é encontrar pessoas de sucesso que sirvam como modelos de comportamento. Para cada objetivo que você tiver, há uma boa probabilidade de um especialista ter conseguido o mesmo ou algo similar. Como diz Tony Robbins: "O sucesso deixa pistas."

Felizmente, alguns dos melhores compartilharam suas histórias por escrito. E isso significa que todos esses mapas para o sucesso estão apenas esperando alguém disposto a dedicar o tempo necessário para lê-los. Os livros oferecem um suprimento infinito de ajuda e mentoria bem na ponta dos seus dedos.

Se você já gosta de ler, ótimo! Mas, se até agora fez parte da maioria da sociedade que se contenta em bater o ponto na entrada e na saída, fazendo esforço mínimo no trabalho para ganhar um salário mediano, você tem uma oportunidade incrível aqui.

Embora ler não produza resultados diretos (pelo menos não a curto prazo), existem muitas atividades que podem nos colocar em outros caminhos menos nobres e frutíferos e que trazem muito menos benefícios a longo prazo do que um hábito de leitura consistente.

Quer abrir uma empresa? Aumentar suas vendas? Contratar a pessoa perfeita? Construir riqueza com imóveis? Melhorar seu humor? Aumentar sua eficácia, riqueza, sabedoria, felicidade ou apenas ser uma pessoa influente? É seu dia de sorte. Existem livros sobre tudo isso.

De vez em quando ouço alguém dizer: "Sou tão ocupado que não tenho tempo para ler." Eu entendo, pois costumava acreditar nisso também. Mas agora eu penso no que meu mentor costumava dizer: "As melhores mentes na história da humanidade passaram anos condensando o melhor do seu conhecimento em algumas páginas que podem ser compradas por alguns dólares, lidas em algumas horas e diminuem sua curva de aprendizado em décadas. Mas eu entendo... Você é ocupado demais." Essa doeu.

Você tem um, dez ou até vinte minutos todos os dias para absorver conteúdo valioso e enriquecer sua vida. Basta usar algumas das estratégias compartilhadas anteriormente neste livro, passar cinco minutos a menos no Facebook antes de começar o dia ou ler enquanto almoça para nutrir a mente e o corpo ao mesmo tempo.

Estes são alguns dos livros que Hal e eu sugerimos para começar. Quando você tiver aperfeiçoado a velocidade de leitura, apostamos que não vai parar mais!

- *Wealth Can't Wait*, de David Osborn e Paul Morris
- *The Art of Exceptional Living*, de Jim Rohn
- *A única coisa: O foco pode trazer resultados extraordinários*, de Gary Keller e Jay Papasan
- *Os sete hábitos das pessoas altamente eficazes: Lições poderosas para a transformação pessoal*, de Stephen R. Covey
- *Maestria*, de Robert Greene
- *Trabalhe 4 horas por semana: Fuja da rotina, viva onde quiser e fique rico*, de Tim Ferriss
- *Visionary Business: An Entrepreneur's Guide to Success*, de Marc Allen
- *The Distracted Mind: Ancient Brains in a High-Tech World*, de Adam Gazzaley e Larry D. Rosen
- *Criatividade S.A.: Superando as forças invisíveis que ficam no caminho da verdadeira inspiração*, de Ed Catmull e Amy Wallace
- *As a Man Thinketh*, de James Allen
- *Independência financeira: O guia do pai rico*, de Robert Kiyosaki
- *The Game of Life and How to Play It*, de Florence Scovel Shinn
- *The Compound Effect*, de Darren Hardy
- *Your Money and Your Brain*, de Jason Zweig
- *Taking Life Head On: How to Love The Life You Have While You Create The Life of Your Dreams*, de Hal Elrod
- *Pense e enriqueça*, de Napoleon Hill
- *Vision to Reality: How Short Term Massive Action Equals Long Term Maximum Results* e *Business Dating: Applying Relationship Rules in Business for Ultimate Success*, de Honorée Corder

- *Finding Your Element: How to Discover Your Talents and Passions and Transform Your Life*, de Sir Ken Robinson e Lou Aronica
- *Spirit Led Instead: The Little Tool Book of Limitless Transformation*, de Jenai Lane

Livros são ferramentas para transformar relacionamentos, aumentar a autoconfiança, melhorar suas habilidades de comunicação, aprender a ser saudável e aperfeiçoar qualquer área da vida em que consiga pensar. Tudo isso faz parte do seu kit de ferramentas para construir riqueza. Vá até a biblioteca ou livraria mais próxima (ou faça como eu e visite o site da Amazon) encontre mais livros do que pode imaginar sobre qualquer área que deseje melhorar.

Para obter uma lista completa dos livros favoritos do Hal sobre desenvolvimento pessoal, incluindo os que tiveram maior impacto no sucesso e felicidade dele, consulte a lista de Leituras Recomendadas em TMMBook.com/Brazil

O quanto você deve ler?

Recomendo assumir o compromisso de ler no mínimo dez páginas por dia (embora cinco sejam ótimas se você lê devagar ou ainda não gosta de ler).

Dez páginas podem não parecer muito, mas vamos fazer as contas: ler dez páginas por dia soma 3.650 páginas por ano, aproximadamente 18 livros de duzentas páginas, que vão fazer você avançar e levar seu sucesso a outro patamar. Tudo em apenas 10 a 15 minutos de leitura diária, ou 15 a 30 minutos, se você ler mais devagar.

Se você ler 18 livros de desenvolvimento pessoal e profissional nos próximos 12 meses, acha que vai melhorar a mentalidade, ganhar mais confiança e aprender estratégias comprovadas que vão acelerar seu sucesso? Você acha que será uma pessoa melhor e mais capaz do que é hoje? Acha que isso vai refletir nos seus resultados nos negócios? Sem dúvida! Ler dez páginas por dia não vai destruir você, mas vai definitivamente construir uma pessoa melhor.

Eu consegui aumentar o ritmo de leitura ouvindo audiolivros. Leio livros impressos ou digitais na maioria das manhãs, mas os audiolivros me permitem ler enquanto ando, faço exercícios físicos ou dirijo.

Considerações finais sobre Leitura

Comece pensando no fim: o que você espera obter com este livro? Reserve um momento para fazer isso agora, perguntando a si mesmo o que quer ganhar lendo esta obra.

Os livros não precisam ser lidos do início ao fim e muito menos terminados. Lembre-se: este é o *seu* momento de leitura. Use o sumário para garantir que você leia as partes que mais interessam e não hesite em deixar de lado e passar para outro livro caso não esteja gostando. Existem muitas informações incríveis para perder tempo com as medíocres.

Muitos praticantes de *O milagre da manhã* usam o tempo de leitura para colocar os textos religiosos em dia, como a Bíblia ou a Torá.

A menos que esteja pegando um livro emprestado da biblioteca ou de um amigo, sinta-se à vontade para sublinhar, circular, marcar, dobrar as páginas e fazer anotações nas margens do livro. O processo de marcar livros enquanto lê permite relembrar as principais lições, ideias e benefícios a qualquer momento, sem precisar ler tudo de novo. Se você usa um leitor digital como Kindle, Nook ou o aplicativo iBooks, poderá revisar facilmente suas anotações e passagens destacadas sempre que folhear o livro ou ir direto para sua lista de anotações e partes destacadas.

Resuma as principais ideias, percepções e passagens marcantes em um diário. Ao criar um resumo dos seus livros favoritos, você poderá revisitar o conteúdo principal deles a qualquer momento em poucos minutos.

Reler bons livros sobre desenvolvimento pessoal é uma estratégia pouco utilizada, porém muito eficaz. Dificilmente você vai ler um livro uma vez e internalizar todo o seu valor. Dominar qualquer área exige repetição. Li alguns livros pelo menos três vezes e com frequência os consulto ao longo do ano. Por que não experimentar com este aqui? Comprometa-se a reler *O milagre da manhã para se tornar um milionário* assim que terminar para aprofundar o aprendizado e ganhar mais tempo para dominar *O milagre da manhã*.

E o mais importante: planeje-se para aplicar logo o que leu. Reserve um tempo para seguir os conselhos que deseja incorporar a sua vida *enquanto estiver lendo este livro*. Literalmente leia com a agenda do lado e reserve alguns intervalos para colocar o conteúdo em prática. Não vire um viciado em desenvolvimento pessoal que lê muito e faz pouco. Conheci muita gente que se orgulha da quantidade de livros lidos, como se fosse alguma medalha de honra. Eu prefiro ler e colocar em prática um bom livro do que ler outros dez e não fazer nada além de começar a ler o décimo primeiro. Embora ler seja uma ótima forma de obter conhecimentos, percepções e estratégias, o que vai fazer avançar a sua vida e os seus negócios é aplicar o conteúdo aprendido.

ESCRITA

O elemento de escrita do seu *Milagre da manhã* permite escrever tudo pelo que você sente gratidão, além de documentar suas percepções, ideias, avanços, realizações, sucessos e lições aprendidas, incluindo qualquer área de oportunidade, crescimento ou melhora pessoal.

A maioria dos praticantes de *O milagre da manhã* escreve em um diário por cinco a dez minutos todos os dias durante sua rotina matinal. Ao tirar os pensamentos da cabeça e escrevê-los, você imediatamente ganha mais consciência, clareza e percepções valiosas, que do contrário seriam esquecidas ou passariam despercebidas.

Se você faz o que Hal costumava fazer, provavelmente terá alguns diários e cadernos parcialmente usados ou quase intocados. Foi só quando ele começou a prática de *O milagre da manhã* que escrever passou a ser um dos seus hábitos diários favoritos. Como Tony Robbins disse várias vezes: "A vida digna de ser vivida é digna de ser registrada."

Escrever dará a você o benefício diário de encaminhar seus pensamentos de modo consciente, mas o mais poderoso serão as percepções que você vai obter ao revisar todos os seus diários do início ao fim, principalmente no fim do ano.

É difícil expressar em palavras o quanto a experiência de revisar os diários pode ser absurdamente construtiva. Michael Maher, coautor de *The Miracle Morning for Real Estate Agents*, é um ávido praticante dos Salvadores de Vida. Uma parte da rotina matinal de Michael consiste em registrar apreciações e afirmações no que ele chama de Livro de Bênçãos. O próprio Michael explica melhor:

> "O que você aprecia... APRECIE DE VERDADE. É hora de pegar o apetite insaciável pelo que desejamos e substituí-lo por um apetite e gratidão insaciáveis pelo que temos. Escreva suas apreciações, sinta gratidão, aprecie e você terá mais do que deseja: relacionamentos melhores, mais bens materiais e mais felicidade."

Embora o ato de manter um diário tenha vários benefícios, estes são alguns dos meus favoritos. Com a escrita diária, você poderá:

- Obter clareza — escrever um diário vai oferecer mais clareza e entendimento sobre as circunstâncias passadas e atuais, ajudar na solução dos desafios e permitir que você faça um *brainstorm*, priorize e planeje suas ações a cada dia para otimizar o futuro.
- Registrar ideias — você vai conseguir registrar, organizar e expandir suas ideias e não vai perder as informações importantes que está guardando para um momento oportuno no futuro.
- Revisar lições — um diário é um lugar para registrar, referenciar e revisar todas as lições que você está aprendendo, tanto em relação às vitórias quanto aos erros que comete pelo caminho.
- Reconhecer progressos — reler o diário de um ano ou até uma semana atrás e observar o quanto você progrediu é imensamente benéfico. Observar seus avanços é uma das experiências mais prazerosas, reveladoras e inspiradoras e não pode ser feito de outra forma.
- Melhora a memória — as pessoas supõem que vão lembrar o que precisam fazer, mas, se você já foi ao supermercado sem uma lista

de compras, sabe que isso não dá certo. Quando escrevemos algo, a probabilidade de lembrar é muito maior e, se esquecermos, sempre é possível voltar às anotações e reler.

Como fazer um diário de modo eficaz

Veja três passos simples para começar a fazer um diário ou melhorar o seu processo atual.

Primeiro: escolha um formato. Você vai ter que decidir com antecedência se prefere um diário tradicional e físico ou digital (no computador ou em um aplicativo para dispositivo móvel). Se não tiver certeza, experimente ambos e veja o que mais lhe agrada.

Segundo: obtenha o diário de sua escolha. Quase tudo pode funcionar, mas, quando se trata de um diário físico, é importante ter qualidade e ser agradável de olhar. Afinal, a ideia é guardá-lo pelo resto da vida. Gosto de comprar diários de couro com folhas pautadas, mas o diário é seu, então escolha o que funcionar melhor para você. Alguns preferem diários sem linhas para desenhar ou criar mapas mentais. Outros gostam de ter um livro com uma página para cada dia do ano a fim de ajudá-los a se responsabilizar no dia a dia.

Estes são alguns dos diários físicos prediletos da Comunidade de *O milagre da manhã* no Facebook:

- *The Five Minute Journal* (FiveMinuteJournal.com) [em inglês] é muito popular entre as pessoas de sucesso. Tem uma frase específica para cada dia, como: "Sinto gratidão por..." e "O que faria o dia de hoje ser ótimo?". Exige cinco minutos ou menos e inclui uma opção noturna para rever como foi o seu dia.
- *The Freedom Journal* (TheFreedomJournal.com) [em inglês] oferece um processo diário e estruturado que se concentra em um só assunto: conquistar seu objetivo número um em cem dias. Criado por John Lee Dumas, do podcast *Entrepeneur On Fire*, é feito especificamente para ajudá-lo a criar e conquistar um grande objetivo por vez.

- *The Plan: Your Legendary Life Planner* [em inglês], criado por amigos nossos, é um sistema para definir objetivos, seguir hábitos e organizar o dia para quem deseja equilibrar a vida e está disposto a conquistar o nível 10 em todas as áreas da vida.
- *O Milagre da Manhã - Diário* (www.TMMBook.com/Brazil) foi feito especificamente para aperfeiçoar e ajudar o seu *Milagre da Manhã*, além de manter você organizado e focado ao fazer os Salvadores de Vida todo dia. Baixe uma amostra grátis em www.TMMBook.com/Brazil para ter certeza de que ele será útil para você.

Se preferir um diário digital, existem várias opções disponíveis, todas em inglês. Algumas das nossas favoritas são:

- O *Five Minute Journal* (FiveMinuteJournal.com) também existe como aplicativo de iPhone e segue o mesmo formato da versão física, mas permite usar fotografias nas anotações diárias e também manda lembretes úteis para aprimorar seus escritos todas as manhãs e noites.
- O *Day One* (DayOneApp.com) é um aplicativo muito popular para fazer diários, perfeito para quem não deseja estrutura ou limites para escrever. Ele oferece uma página em branco para cada dia, então, se você gosta de escrever textos grandes, este pode ser o aplicativo ideal.
- O *Penzu* (Penzu.com) é um diário on-line muito conhecido que não exige iPhone, iPad ou dispositivo Android. Você só precisa de um computador.

Mais uma vez, é tudo uma questão de preferência e dos recursos que você deseja. Se não se identificar com nenhuma dessas opções digitais, digite "diário on-line" no Google ou busque "diário" na loja de aplicativos do seu dispositivo e você vai encontrar várias opções.

Terceiro: escreva todos os dias. Eu faço dois tipos de anotação em meu diário: pensamentos e objetivos. Quando sento de manhã para escrever, se meu cérebro estiver ocupado e dependendo do que está acontecendo na minha vida, posso escrever muito ou só um pouco. Para mim, acaba sendo uma ou duas páginas que levam entre cinco e trinta minutos para serem escritas.

Existem incontáveis assuntos para serem registrados. Anotações sobre o livro que você está lendo, lista de motivos para sentir gratidão e de três a cinco prioridades para o dia são boas opções iniciais. Escreva o que faz você se sentir bem e otimiza o seu dia. Não se preocupe com gramática, ortografia ou pontuação. O diário é o lugar para deixar a imaginação correr solta, então cale a boca do seu crítico interior e não edite, apenas escreva!

PERSONALIZAR OS SALVADORES DE VIDA

Sei que em alguns dias talvez você não consiga praticar *O milagre da manhã* de uma vez só. Sinta-se à vontade para separar os Salvadores de Vida da forma que funcione melhor para você. Quero dividir algumas ideias específicas relacionadas a personalizar os Salvadores de Vida com base em seus horários e preferências. Sua rotina matinal de hoje talvez permita encaixar um *Milagre da manhã* de seis, vinte ou trinta minutos, mas você pode fazer uma versão mais longa nos fins de semana.

Veja um exemplo bem comum de um cronograma de 60 minutos para *O milagre da manhã* usando os Salvadores de Vida.

Silêncio: 10 minutos
Afirmações: 5 minutos
Visualização: 5 minutos
Exercícios: 10 minutos
Leitura: 20 minutos
Escrita: 10 minutos

A ordem também pode ser personalizada. Por exemplo, coloco a chaleira no fogo depois do meu período de silêncio e depois faço minha escrita. Gosto de ler meus objetivos depois disso, que faz parte da minha rotina de leitura, e em seguida leio algumas páginas de um livro. *Depois* de tudo isso eu faço meus exercícios físicos.

Hal prefere começar com um período de silêncio tranquilo e intencional para acordar devagar, clarear a mente e concentrar as energias e intenções.

Contudo, este é o *seu Milagre da manhã*. Sinta-se à vontade para experimentar várias sequências e veja a que mais lhe agrada. O melhor *Milagre da manhã* é o que você *faz*!

CONSIDERAÇÕES FINAIS SOBRE OS SALVADORES DE VIDA

Tudo é difícil antes de ser fácil. Toda nova experiência é desconfortável antes de se tornar confortável. Quanto mais você pratica os Salvadores de Vida, mais naturais e normais eles serão. A primeira vez que Hal meditou quase foi a última, pois a mente dele acelerava como uma Ferrari e os pensamentos surgiam de modo incontrolável. Hoje em dia ele adora meditar, e, embora não seja um mestre, alega ser razoável nisso.

Da mesma forma, quando comecei a fazer as afirmações de *O milagre da manhã*, aproveitei algumas do livro e acrescentei outras que me vieram à cabeça. Ao longo do tempo, à medida que encontrava frases poderosas, eu as acrescentava às minhas afirmações. Agora, elas são muito significativas para mim e o ato diário de usá-las ganhou muito mais força.

Convido você a praticar os Salvadores de Vida desde já para se familiarizar e ficar confortável com todos eles antes de começar o "O desafio de *O milagre da manhã* para transformação de vida em trinta dias" no Capítulo 13.

O MILAGRE DA MANHÃ DE SEIS MINUTOS

Se a sua maior preocupação é arranjar tempo, não se preocupe: *O milagre da manhã* pode ser ajustado de acordo com a sua disponibilidade. É possível fazer *O milagre da manhã* e receber todos os benefícios dos seis Salvadores de Vida em apenas seis minutos. Embora essa não seja a duração que eu recomende sempre, nos dias em que você tiver pouco tempo, fazer cada um dos Salvadores de Vida por um minuto é um ótimo atalho:

- Primeiro minuto (Silêncio): feche os olhos e aproveite um momento de silêncio tranquilo e intecional, esvaziando a mente e equilibrando-se para o dia.
- Segundo minuto (Afirmações): leia sua afirmação mais importante a fim de reforçar o resultado que deseja conquistar, por que ele é importante para você, quais ações específicas você precisa fazer e, o mais importante, exatamente quando você vai se comprometer a realizar essas ações.
- Terceiro minuto (Visualização): visualize-se executando sem falhas a ação mais importante que deseja realizar naquele dia.
- Quarto minuto (Exercícios): fique de pé e faça entre cinquenta e sessenta polichinelos ou faça o máximo de flexões e/ou agachamentos que puder para acelerar os batimentos cardíacos e movimentar sua fisiologia.
- Quinto minuto (Leitura): pegue o livro que escolheu e leia uma página ou parágrafo.

Por fim...

- Sexto minuto (Escrita): pegue seu diário e escreva um motivo para sentir gratidão e o resultado mais importante a ser obtido naquele dia.

É possível notar que, mesmo em seis minutos, os Salvadores de Vida vão colocá-lo no caminho certo para o dia. E você sempre poderá dedicar mais tempo a eles quando a agenda permitir ou surgir uma oportunidade. Fazer a prática de seis minutos é um jeito de começar o singelo hábito de aumentar a confiança ou de melhorar o humor e a disposição naquelas manhãs em que estiver sem tempo.

Outro singelo hábito que você pode adotar é começar por um dos Salvadores de Vida e acrescentar outros depois de se acostumar a acordar mais cedo. Lembre-se de que a ideia é ter tempo para trabalhar em seus objetivos e em sua mentalidade, então, se você acabar sobrecarregado, não vai funcionar. Lembre-se: *a prática é mais importante do que a duração*. Desenvolva o hábito, não importa que seja por um período curto, e permita-se aumentar a duração com o passar do tempo.

O milagre da manhã se tornou um ritual diário de renovação e inspiração que eu amo demais! Mesmo a versão "resumida" de poucos minutos é muito melhor do que não fazer a rotina.

Com os Salvadores de Vida, agora você tem todas as ferramentas para se transformar em uma pessoa matutina, entender a importância das manhãs, aprender a acordar mais cedo e saber o que fazer com o seu novo horário disponível pela manhã.

Agora, é hora de seguir em frente. Na Parte II, vamos sair do como e por que você deve acordar cedo para identificar as principais filosofias e as práticas fundamentais no caminho para ser um milionário.

MILIONÁRIOS DA MANHÃ

Eu acordo às 4h30 todos os dias para levar meus três cachorros para passear e fazer exercícios físicos. Por volta das 5h45, faço café para mim e para minha esposa, usando uma prensa francesa com capacidade para oito xícaras. Este é definitivamente o melhor jeito de fazer café em casa.

— Howard Schultz, presidente executivo da Starbucks

PARTE II:

COMO SER UM MILIONÁRIO

SEIS LIÇÕES SOBRE CONSTRUÇÃO DE RIQUEZA PARA FUTUROS MILIONÁRIOS

Capítulo 4

PRIMEIRA LIÇÃO: AS DUAS PORTAS
A ESCOLHA DE FICAR RICO

> *A maioria de nós tem duas vidas: a que vivemos e aquela não vivida que está dentro de nós.*
>
> — Steven Pressfield, autor de *A guerra da arte*

Imagine por um instante que você está participando de um *gameshow* na TV.

Após ter lutado para chegar à última rodada da competição, você agora está prestes a ganhar o grande prêmio. A plateia no estúdio, a multidão ruidosa que torceu por você o tempo todo, agora está quieta. São apenas você, o apresentador e o desafio final.

O apresentador pega o microfone e anuncia:

— Bem-vindo à última rodada. Foi uma longa batalha, mas você chegou até o final. Cumpra este último desafio e você ganhará o grande prêmio: todas as suas dívidas serão perdoadas, e você ganhará um milhão de dólares [cerca de quatro milhões de reais] sem impostos!

Você pensa: *Nossa. Isso é tudo o que sempre sonhei.*

— Vença esta rodada e você ficará *milionário* — diz o apresentador, com um tom dramático na voz.

A plateia grita loucamente. Então as luzes se apagam e uma cortina sobe no palco.

Iluminadas por um feixe de luz, eis que surgem *duas portas*.
Uma onda de empolgação toma conta da plateia. O apresentador anuncia:
— Atrás de uma dessas portas está o grande prêmio.
Você pensa: *Ótimo, tenho 50% de chance. Vou conseguir!*
Você abre a boca para falar, mas o apresentador interrompe, dizendo:
— Espere! Ainda tem mais!
Você se pergunta: *O que mais ainda pode acontecer?*
Rufam os tambores. O apresentador anuncia:
— A porta vencedora é... *a da esquerda!*
As luzes se acendem, ouve-se uma música triunfante. A plateia vai à loucura!
— Hã... Você acabou de *revelar* qual porta devo escolher? — você pergunta calmamente assim que a plateia finalmente se acalma.
— Revelei, sim! — grita o apresentador.
— Então... Eu só preciso escolher?
— Exatamente. Se você quiser ficar milionário, *basta escolher*.
Nesse momento você espera ouvir o despertador para acordar do que era obviamente um sonho.
Por mais doido que pareça, essa é a escolha real diante de você e de todo o mundo, a mesma escolha feita por todos os que ficaram milionários pelos próprios esforços. Você e eles tiveram uma escolha não muito diferente da oferecida pelo nosso *gameshow* fictício. Uma escolha que basicamente se resume a: *você quer ser uma pessoa rica ou não?*
Porque o importante no início de sua jornada não é o que está atrás da porta. É o ato consciente de fazer uma *escolha*.

OUTRA VIDA: A ESTRADA (AINDA) NÃO TRILHADA

A maioria das pessoas vive no lado errado de uma imensa lacuna de potencial que separa quem somos de quem *podemos ser*.

Essa lacuna muitas vezes é dolorosa. Lá no fundo, sabemos que somos capazes de conquistar, além de fazer, ser e ter mais. E o que dói não é o fato de não sermos ricos, por exemplo, e sim saber que *poderíamos* ser ricos. É esse potencial não realizado que nos deixa insatisfeitos.

A insatisfação nos leva a passar tempo demais pensando no que deveríamos estar fazendo para criar os resultados que desejamos e não gastar tempo suficiente *agindo*. Em geral, sabemos o que é preciso fazer, mas não *fazemos o que sabemos* de modo consistente.

Nesses casos, é fácil pensar que existe algum segredo oculto. Quando você vê os outros se destacando, parece que eles dominam tudo e detêm alguma informação exclusiva. É claro que deve haver algum truque, ferramenta secreta ou suprimento ilimitado de força de vontade que eles conhecem e você nunca terá.

Isso não é verdade.

Na minha experiência com milionários, a primeira diferença entre eles e todas as outras pessoas é que eles *escolheram ativamente a riqueza*. É o primeiro passo a fim de preencher a lacuna entre a sua realidade financeira atual e a que você imagina: *escolher*.

O "segredo", se você quiser chamá-lo assim, é que escolher não tem o significado que se imagina.

ESCOLHER × QUERER

Alguns amigos vieram me pedir conselhos recentemente. Eles queriam enriquecer investindo em imóveis e acharam que eu poderia contribuir com algumas ideias.

Esse é um caminho que conheço bem. Construí minha riqueza principalmente com imóveis, até criar uma empresa que lucrava bilhões de dólares em vendas por ano.

Meus amigos economizaram setenta mil dólares [cerca de 260 mil reais] e estavam prestes a começar a busca da riqueza gastando 35 mil (cerca de 130 mil reais) em um seminário que, segundo eles, iria "ensiná-los a comprar e vender propriedades".

Agora eles estavam na minha cozinha perguntando o que eu achava disso.

Eu sabia que a verdadeira pergunta era bem diferente. Meus amigos tinham algo comum com quase todo mundo no planeta: eles *queriam* ser ricos. Desejavam ser milionários. A pergunta que estavam fazendo era: "Como posso ficar rico sem me esforçar muito?"

Acho que você pode adivinhar a resposta.

Meus amigos são ótimos e queriam mesmo ficar ricos. Infelizmente, eles não tinham o elemento comum que define quase todos os milionários: *escolher* a riqueza.

Eles não estão sozinhos. Muita gente acredita que deseja ficar milionária, mas na verdade *não quer*. "Vou ser uma pessoa rica" é muito diferente de "Quero ser uma pessoa rica". *Querer* tem a ver com o resultado. É sonhar e comprar bilhetes de loteria. É se preparar sem qualquer mira e definitivamente sem atirar.

Escolher tem a ver com decidir, planejar e agir. Há momentos na estrada para a riqueza em que tudo isso será difícil. Existem decisões difíceis a tomar, planos difíceis a serem criados e muitos desafios pela frente.

Contudo, em cada um desses momentos, você faz uma escolha. Você pode acordar toda manhã e fazer o mesmo de sempre ou pode escolher a riqueza. Toda decisão que você toma pode ser no contexto de escolher a riqueza ou pode ser no contexto de *querer* a riqueza.

Querer é desejar e nada mais. *Escolher* é o primeiro passo para agir.

Querer é o motivo pelo qual pessoas torram o dinheiro em esquemas do tipo "fique rico rapidamente". Meus amigos tinham economizado setenta mil dólares e queriam dar a alguém *metade* dessa quantia para ensiná-los a comprar e vender propriedades. Em vez de fazer isso, eles poderiam ter acordado um pouco mais cedo todos os dias para ler três bons livros sobre imóveis (geralmente de graça ou por bem pouco).

No contexto de *querer* a riqueza, pagar muito por informações que podem ser obtidas gratuitamente nada mais é do que procurar um jeito fácil de enriquecer.

No contexto de *escolher* a riqueza, dar metade do seu capital para alguém pelo que você pode conseguir de graça ou a um custo extremamente baixo é conhecido como *perder 50% do seu dinheiro*.

Querer é o motivo pelo qual pessoas com pouca experiência decidem entrar no mercado de compra e venda de ações no mesmo dia, chamado *day trade*. É o caminho fácil, pensam eles. Querer são máquinas de caça-níqueis e bilhetes de loteria.

Meus amigos não queriam construir riqueza com imóveis, pelo menos não ainda. Eles desejavam que alguém lhes ensinasse um caminho fácil para enriquecer. Eles procuravam o "segredo" dos imóveis. Infelizmente, isso era algo que eu não podia oferecer. Na verdade, *ninguém* pode.

O que eu disse a eles e vou dizer a você é que a riqueza começa bem cedinho. A riqueza se inicia pela manhã, quando você acorda e escolhe, dia após dia, concentrar deliberadamente uma parte do tempo, energia e recursos para ficar mais rico.

Não é um segredo ou truque, nem tecnologia especial. Esses seriam sinais de *querer* ficar rico, não de escolher a riqueza.

Escolher é algo bem diferente.

Mas o que exatamente é escolher? Se você vai decidir a porta milionária como no nosso *gameshow* fictício, é melhor saber direito o que isso significa.

Primeira escolha: acumular riqueza

É preciso esclarecer algumas distinções importantes que existem na palavra *milionário*.

Ao contrário do que tanta gente acredita, *ganhar* muito dinheiro não deixa você rico. Certamente pode ajudar, mas nem um salário de mais de um milhão de dólares por ano (cerca de quatro milhões de reais) faz de você um milionário. Os tabloides estão cheios de histórias de atletas, astros e estrelas que ganharam milhões ao longo da carreira e terminaram pobres.

Se você ganha seis dígitos por ano, mas deve dez vezes esse valor em cartões de crédito e financiamento da casa e não possui outros bens, *você não é milionário*.

O único jeito de ser milionário é ter mais de um milhão de dólares em bens.

Para ser bem específico, o número que você está procurando é um milhão de dólares (cerca de quatro milhões de reais), sem incluir a residência principal. Como você sempre vai precisar de um lugar para morar, será mais inteligente construir um patrimônio líquido que não inclua o imóvel em que você reside.

O que significa "milionário" para este livro

As pessoas ficam milionárias todos os dias.

Na verdade, muitas pessoas de classe média podem chegar lá apenas economizando e investindo. Se você quiser ficar milionário passivamente, pode sacar a previdência privada, viver de modo frugal, poupar, investir cada centavo que puder e vai acabar chegando lá.

Mas este não é um livro de investimento passivo. *O milagre da manhã* tem a ver com assumir o controle. Você não precisa acordar cedo para sacar a previdência privada; basta fazer um simples telefonema para o seu banco ou gerente financeiro. Mas este é um livro ativo.

Este livro tem a ver com agir todo dia. E para nosso objetivo, quando falamos de escolher ser milionário, significa que estamos falando de:

- Abrir ou ampliar uma empresa
- Investir em imóveis ou outras formas de alavancar a riqueza
- Manter seu emprego e começar algo por fora que você possa transformar em uma grande empresa

Se você quiser construir riqueza lentamente, usando ferramentas de investimento tradicionais, isso é excelente. Use suas manhãs para isso. Para este livro, contudo, estamos falando de ir além.

A primeira escolha para ficar milionário é *escolher acumular riqueza*.

Segunda escolha: ser estratégico

No Capítulo 2, vimos o processo de cinco etapas para acordar cedo que foi utilizado por milhares de pessoas para derrotar a racionalização matinal. O processo funciona por ser um conjunto de ações feito especificamente para um fim: ajudá-lo a levantar mais cedo aumentando seu nível de motivação. É bem diferente de configurar o despertador e cruzar os dedos.

Um é um desejo, o outro é uma *escolha*.

Quando você *escolhe* ser rico, vai observar algo acontecer. Pode ser lento e sutil no início, mas ao longo do tempo vai começar a notar que *suas decisões e ações estão sendo feitas no contexto da acumulação de riqueza*. Depois de tomar a primeira decisão de acumular, você verá suas ações por esse prisma, cada vez mais. E isso significa que você ficará muito mais estratégico com sua vida e seu dinheiro.

Pense nesta analogia: finja por um momento que seu objetivo não é ser milionário e sim ter um corpo esbelto e saudável. Se você assumir o compromisso com esse objetivo e o *escolher* em vez de desejar, então seu jeito de tomar decisões vai mudar.

- Quando você for ao supermercado, sua lista de compras será feita pelo prisma de escolher alimentos saudáveis.
- Se houver uma escolha entre ir a pé e de carro a algum lugar, você escolherá andar.
- Amanhã de manhã, em vez de dormir até tarde, você pensará: "Não. A escolha saudável é levantar cedo e fazer exercícios físicos."

Se você assumir o compromisso com a visão de ser uma pessoa mais saudável, começará a ver todas as escolhas na vida de modo diferente. Da mesma forma, quando *decidir* ser milionário, verá tudo por esse prisma.

Quando você pensar em comprar um imóvel, vai escolher o que tiver um apartamento ou quarto para alugar, a fim de cortar custos e ter mais dinheiro para investir.

Se precisar escolher entre fazer o financiamento de um carro que **você** mal pode pagar ou ficar com um modelo mais antigo, você decidirá **com** base no que isso significa para o seu plano de enriquecer em vez de se **basear** no carro do seu vizinho.

De manhã, em vez de continuar dormindo, você vai pensar: "Não. A escolha saudável é acordar e trabalhar no meu plano de ficar milionário."

Assim como escolher ser saudável exige ver a vida de outra forma, quando você escolhe ser milionário também precisa ser estratégico. É preciso enxergar a vida por um novo prisma, no qual a acumulação de riqueza passa a ser uma prioridade.

Terceira escolha: alavancar

Muita gente acredita na seguinte versão simplificada da riqueza: *se eu me apertar, economizar bastante e trabalhar muito por tempo suficiente, vou acumular um milhão de reais.*

Para essas pessoas, ficar milionário significa olhar o saldo da poupança e ver sete dígitos. Só isso.

Na verdade, é extremamente difícil ficar rico apenas guardando dinheiro na poupança. É até possível, com uma renda alta o bastante, mas isso geralmente significa ter despesas muito altas.

Você precisa colocar seus recursos para *trabalhar*. É preciso investir dinheiro, tempo e energia em formas de *multiplicar* seus esforços. O dinheiro na poupança não multiplica (pelo menos não rapidamente!), apenas acumula. Trabalhar mais no seu emprego não vai multiplicar sua renda, só vai acumular tempo longe de casa, da família e dos amigos.

Os ricos decidem *multiplicar*. Eles decidem alavancar o que têm investido contratando outras pessoas e alocando o tempo para aproveitá-lo ao máximo.

Há um capítulo inteiro dedicado a essa ideia mais adiante. Por enquanto, saiba que acordar cedo amanhã e seguir a rotina de *O milagre da manhã* é uma das melhores formas possíveis de alavancar seu tempo. Ao ler este livro, você já começou o processo!

Quarta escolha: mudar

É uma frase tão comum que praticamente virou clichê: *O que o trouxe até aqui não vai levá-lo aonde você quer ir.*

Nesse caso, o clichê é verdadeiro e vale a pena falar mais sobre ele.

A sua vida *agora*, em todos os aspectos, desde o trabalho e a saúde até seus relacionamentos e finanças, é o resultado das escolhas que você fez no passado.

O emprego que você tem agora é uma *escolha* feita em algum momento. Perceba você ou não, é uma escolha que vem sendo feita diariamente. Você pode dizer a si mesmo que *precisa* fazer seu trabalho atual, mas na verdade *não* precisa. É uma escolha.

Você está carregando uns cinco ou dez quilos de gordura relacionados ao seu estilo de vida? É o resultado de milhares de *escolhas* que você vem fazendo nos últimos dias, semanas, meses e anos.

E o relacionamento amoroso ou seus amigos mais próximos? Todos são *escolhas*.

Sua mobília, a comida na geladeira, o carro que você dirige. *Todos são escolhas*. Todos, sem exceção, são resultado de seu comportamento no passado.

O mesmo se aplica à riqueza.

Se você nunca poupou um centavo, é uma escolha. Se economizou 10% em vez de 15, é uma escolha. O jeito como você escolhe investir ou não, ano após ano... Tudo isso são escolhas.

Olhe ao redor e você vai perceber que *tudo no presente é resultado de pensamentos, decisões e ações feitas no passado.*

Não há nada esotérico ou maluco nisso. É causa e efeito. Você acreditou, pensou e agiu de determinadas formas no passado e criou quase tudo no seu futuro imediato.

O que nos traz até aqui: se você não está rico no *presente*, é basicamente o resultado de seus pensamentos e ações no *passado*.

Se você gostaria de ficar rico no *futuro*, precisará mudar o jeito de pensar e agir *agora* e daqui por diante. Como diz o ditado, continuar agindo da mesma forma e esperar resultados diferentes é a definição de insanidade.

Quero deixar claro que isso não é apenas da boca para fora. Se você tivesse agido de outra forma, dia após dia, no último ano, quão diferente seria sua vida agora?

- Você teria o mesmo corpo?
- Você teria o mesmo emprego?
- Você teria o mesmo *dinheiro*?

Se você quiser ser milionário, a escolha mais importante que precisa fazer e que será a base do resto deste livro é a decisão de *mudar*.

Mudar não é fácil, claro. Pergunte a qualquer pessoa que fez uma resolução de ano-novo ligada ao sucesso que deseja ter. Na verdade, você provavelmente pode olhar o *seu* sucesso. No meu caso, fiz vários planos grandiosos para mudar e não deram certo, mas os que *escolhi* fazer realmente funcionaram.

- As quatro escolhas mencionadas acima não acontecem apenas uma vez. São decisões que você terá que tomar diariamente. Esse é o preço da riqueza.
- Você não pode gastar todo o seu dinheiro ou ganhar muito pouco e esperar acumular riqueza.
- Você não pode ficar rico acumulando economias em uma conta bancária.
- Você não pode ficar rico tomando decisões que não levam em conta a construção da riqueza.
- Você não pode ficar rico *sem mudar*.

POR QUE MILIONÁRIO? (O QUE ALIMENTA A ESCOLHA ORGÂNICA)

As pessoas dizem: "O dinheiro é a raiz de todos os males."
Elas entendem isso errado.

Não estou bancando o filósofo. Quer dizer, elas realmente entenderam a frase incorretamente. Estão tentando citar o versículo da Bíblia 1 Timóteo 6:10, que diz: "O amor ao dinheiro é a raiz de todos os males."

Se você só ama o dinheiro, se só quer o dinheiro e só deseja ser rico pela riqueza em si, não vai dar certo.

Você pode ganhar muito dinheiro e gostar dele, claro. Contudo, se não acrescentar algo além desse amor pelo dinheiro, vai fechar muitas portas pelo caminho, incluindo as da sua saúde e de seus relacionamentos. E são portas que você vai desejar desesperadamente ter deixado abertas, no fim das contas.

Em resumo: não há jeito mais rápido de se dar mal do que escolher o dinheiro *sem ter um propósito*.

Nunca busquei o dinheiro. Eu gosto de ter dinheiro, mas fiz mais pelo desafio e porque estava lá, como o Everest. Como escalar uma montanha. O dinheiro é um bom subproduto de uma vida de desafios, crescimento e realizações que fazem você pular da cama de manhã. O dinheiro é uma ferramenta, não um fim em si. É um meio.

Você pode ser feliz com mais dinheiro? Sem dúvida. A felicidade envolve a escolha de ter uma vida plena e interessante, e uma parte disso depende das suas finanças. Se tudo for feito com *um objetivo*, acredito que uma vida de abundância econômica seja mais plena que uma vida sem ela. Mas apenas se essa abundância econômica vier pelo motivo certo.

O problema com o *porquê* é a facilidade de perdê-lo de vista. Fica fácil esquecer a motivação que nos levou a perder alguns quilos, abrir uma empresa ou convidar aquela pessoa especial para jantar. É por isso que você não só precisa de um *propósito* para servir de motivação como de uma estrutura para apoiá-lo. Do mesmo jeito que os Alcoólicos Anônimos têm reuniões e os Vigilantes do Peso® têm pesagens, você precisa de uma estrutura para auxiliar sua escolha constante de ficar rico.

Essa estrutura é *O milagre da manhã*.

As manhãs são o seu contato com o *porquê* e uma oportunidade diária de criar espaço para sonhos, objetivos e otimismo. É o momento para lembrar *por que* você escolheu a riqueza e o que ela significa para você.

É por isso que as manhãs são importantes para os milionários. Porque, sem esse momento, eles perderiam de vista os motivos pelos quais desejaram ficar ricos, no começo de tudo.

QUE PORTA VOCÊ ESCOLHE?

Então é isso.

O palco está montado. Você está diante de duas portas e sabe o que está atrás de cada uma delas.

A plateia espera a sua decisão.

Você só precisa *escolher*.

Qual porta você prefere?

MILIONÁRIOS DA MANHÃ

Dizem que Steve Jobs se olhava no espelho todas as manhãs e perguntava: "Se hoje fosse o último dia da minha vida, eu estaria feliz com o que estou prestes a fazer?"

Se a resposta fosse "não" por vários dias seguidos, ele sabia que algo precisava mudar.

Capítulo 5

SEGUNDA LIÇÃO: VOCÊ, MILIONÁRIO

SUBSTITUIR OS PONTOS CEGOS POR UMA VISÃO DE FUTURO

O primeiro princípio é que você não deve se enganar, e você é a pessoa mais fácil de ser enganada.

— Richard P. Feynman, físico teórico

Claro que, se fosse tão fácil como fazer uma simples escolha, todos nós seríamos milionários.

Mas não somos. Longe disso. Embora escolher a riqueza seja uma etapa essencial no caminho para ela, não é o *único*. E ficar milionário significa dar todos os passos, não só o primeiro.

Eu converso com diversas pessoas que estão lutando para transformar a própria vida financeira. E essa luta geralmente envolve frases como: "Quero ganhar mais, mas não sei como", "Trabalho como um louco, mas não enriqueço", "Algumas pessoas parecem ter jeito para a riqueza. Eu não tenho".

Meu palpite é que algumas dessas frases soam familiares para você. Tudo bem, elas realmente são desafios reais, e você não está sozinho. Minha resposta a todas elas, no entanto, é sempre a mesma: "Bem-vindos à caixa."

Bem-vindos à caixa é uma frase para resumir uma ideia mais ampla que talvez seja o conceito mais importante a ser assimilado no caminho para ser milionário, pela minha perspectiva após anos construindo riqueza. A caixa explica por que algumas pessoas não ficam ricas, mesmo quando *escolhem* a riqueza, por que você se sente empacado em uma determinada renda ou um determinado patrimônio líquido e por que trabalhar mais raramente se converte em maior riqueza.

Claro que todos querem saber o que é a caixa.

Para entender isso, precisamos falar de crustáceos.

CARANGUEJOS-EREMITAS E MILIONÁRIOS

Você já deve ter visto um caranguejo-eremita. São crustáceos da mesma classe dos eternos (e deliciosos) favoritos lagostas e camarões.

Ao contrário de outros crustáceos, contudo, os caranguejos-eremitas adultos se adaptaram a viver em terra firme. Eles respiram ar úmido em vez de água e, diferente de lagostas e similares, não têm a concha dura.

Os caranguejos-eremitas têm exoesqueletos bem macios se comparados aos outros primos crustáceos, e isso os torna presa fácil. Como resultado, eles evoluíram e passaram a pegar *outras* conchas emprestadas. Quando você vir um caranguejo-eremita se arrastando na praia, ele estará em uma concha que pertenceu à outra criatura.

Contudo, à medida que o caranguejo-eremita cresce, precisa encontrar conchas maiores para acomodá-los. Como um peixinho dourado em um aquário, eles são limitados pelo ambiente ao redor, mas o interessante é que nem todos os caranguejos-eremitas são iguais. Alguns ficam com uma concha por mais tempo que outros. Há os que praticamente não trocam de concha, enquanto outros continuam a mudar de ambiente ao longo do tempo. A certa altura, alguns simplesmente não mudam mais, ficando na mesma concha pelo resto da vida.

Os humanos não são muito diferentes, mas, em vez de conchas físicas, nós temos "caixas": mentalidades, crenças e hábitos que adotamos ao longo do tempo e descartamos depois de superá-los.

Tendemos a trocar muito de "concha" ou caixa quando somos jovens e estamos crescendo, tanto em termos físicos quanto mentais, mas o processo costuma desacelerar consideravelmente quando chegamos à vida adulta. À medida que crescemos, passamos a ter as mesmas atitudes com as mesmas pessoas. Temos a mesma rotina, e, o mais preocupante: nossas crenças e modos de pensar ficam mais arraigados. Como o mais hesitante dos caranguejos-eremitas, passamos a habitar uma "concha" mental e tendemos a nos apegar a ela.

Essa tendência afeta tudo na vida, das escolhas profissionais às nossas férias e relacionamentos, mas é particularmente relevante quando se trata de construir riqueza.

O QUE TROUXE VOCÊ ATÉ AQUI

A caixa são as crenças, experiências, pensamentos, habilidades e chances que formam sua realidade. É invisível, mas você pode ver os efeitos dela no mundo físico ao seu redor.

Essa caixa onde você está agora sem dúvida lhe serve muito bem. Você cresceu nela e está confortável. Tudo em sua caixa tem um resultado razoavelmente previsível. Sua casa atual, seus amigos, emprego ou empresa e o carro que você dirige: tudo isso é resultado de pensamentos, crenças e ações realizadas no *passado*. Eles são o resultado da sua caixa. Cada ação realizada por você foi filtrada pela caixa e pelos padrões cerebrais que o ajudam a decidir como levar a vida, para o bem ou para o mal.

Da mesma forma, esse raciocínio se aplica a sua renda. A caixa em que você está agora é a mesma que levou você a sua renda, conta bancária e patrimônio líquido atuais. Se deseja que isso mude, precisa de uma nova caixa.

Quando um caranguejo-eremita quer ou precisa de mais espaço, ele deixa a antiga concha para trás e se muda para uma nova. É um período perigoso: o caranguejo "nu" e de casca macia está exposto ao mundo. É um risco. Mas, para o caranguejo, é o risco que se corre se quiser uma casa melhor.

Como o caranguejo-eremita, você só cresce até um determinado ponto se continuar onde está. Cada dia que o caranguejo-eremita não cresce é um dia em que *nada* muda. O mesmo vale para você, que está limitado pela sua caixa atual. E, embora possa ser arriscado, você terá que expandir sua caixa para obter resultados diferentes.

Se quiser uma vida e realidade diferentes das que tem, precisa mudar suas crenças, pensamentos e ações. Se continuar vivendo nos limites da sua caixa atual, continuará obtendo os mesmos resultados. Da mesma forma que o caranguejo-eremita, se você quiser uma concha maior, terá que mudar.

PARA CRIAR UMA CAIXA MAIOR

Você nunca *troca* de caixa e sempre vê o mundo de acordo com o filtro de suas crenças e experiências passadas. Você sempre está sendo um pouco "enganado" pelo cérebro, sem enxergar muito bem a realidade, e isso vale para todos nós. O que você pode fazer é *expandir* a caixa, o que pode ser feito de duas formas.

A primeira é se conscientizar dos tipos de viés, principalmente os relevantes para o dinheiro e para a riqueza, que atrapalham o julgamento, inibem as ideias e empacam o caminho. Como pontos cegos no cérebro, eles o impedem de ver com clareza as situações em que está sendo enganado pela sua programação-padrão.

A segunda forma de expandir sua caixa é imaginar outra vida, criando a visão de uma caixa diferente, em que você tenha mais abundância e seja milionário.

Uma caixa que seja a sua nova concha, como faz o caranguejo-eremita.

CAIXA ANTIGA: DESCUBRA OS TIPOS DE VIÉS QUE MOLDAM SEU MUNDO FINANCEIRO

Uma das descobertas mais importantes sobre a vida humana nas últimas décadas é que não vemos o mundo como ele é. Nós não enxergamos a "realidade", e sim uma versão dela fabricada pelo nosso cérebro.

Se isso parece um pouco absurdo, saiba que não se trata de pseudociência. Tudo o que você pensa que sabe e acredita foi criado pelo cérebro, e a neurociência pode provar. A cor "vermelha" é uma interpretação da luz feita pelo *seu* cérebro. Isso significa que o vermelho visto por você pode não ser o mesmo das outras pessoas.

O "filtro cerebral" pelo qual vemos o mundo distorce a visão da realidade, fazendo com que vejamos tudo de um jeito singular, e muitas vezes nos tira um pouco do caminho, sobretudo quando se trata de dinheiro.

Não se sinta mal. *Todos nós* temos esse tipo de viés, sem exceção. Ao se conscientizar deles, é possível entender as fronteiras da sua caixa atual e o que o impede de expandi-la.

Existem *muitos* tipos de viés. Estes são os mais relevantes no caminho para a riqueza.

Aversão a perdas

Somos programados para não gostar de perdas. Ninguém gosta de perder, mas nós, seres humanos, *detestamos perder mais do que gostamos de ganhar!* Ganhar R$ 100 é ótimo, mas perder R$ 100 parece *muito* pior.

Isso faz a pessoa se apegar ao que já tem e odiar riscos quando se trata de dinheiro. Criar riqueza sempre exige um pouco de risco. Se você tiver muita aversão a perdas, será difícil chegar ao status de milionário rapidamente.

Falácia do custo irrecuperável

Relacionada à aversão a perdas, essa falha no pensamento nos leva a continuar despejando recursos no que não deveríamos. Se você alguma vez disse: "Já investi tanto nisso, não posso parar agora", então foi vítima dessa falácia. Lembre-se: os custos irrecuperáveis já eram. Foram totalmente perdidos.

Viés do *status quo*

É a tendência a preferir que tudo continue como está. Como os caranguejos incapazes de trocar de concha, encontramos conforto no que é familiar. A mudança nos perturba e temos um viés contra ela, mas mudar é preciso.

Descontar o tempo

É a tendência a valorizar recompensas imediatas em detrimento das futuras. Quando decidiu comer o pote de sorvete *agora* e preocupar-se com a saúde *depois*, você "descontou" esse tempo do seu eu futuro. Em termos financeiros, isso acontece ao não ser capaz de adiar a recompensa, gastando *agora* o dinheiro que poderia investir para obter um retorno maior no futuro.

Efeito avestruz

Todos nós conhecemos este viés: é a tendência a se esconder da realidade. Se já evitou abrir uma fatura de cartão de crédito por não querer encarar a quantia devida ou demorou a enfrentar uma situação no trabalho por *saber* que será um problema, você foi vítima disso.

Outros tipos de viés

Além dos tipos de viés reconhecidos por economistas e psicólogos, existem outros "não oficiais", representados pelas crenças e padrões de pensamento baseados em sua criação, seus colegas, sua cultura etc.

Entre eles estão a crença no "trabalho árduo" sem pensar se você está trabalhando *de modo inteligente* (falaremos mais sobre isso no Capítulo 7), ou acreditar que "ricos são gananciosos" ou "o dinheiro é a raiz de todos os males". Essas ideias podem ser prejudiciais a sua prosperidade futura.

Todos nós temos crenças e uma consciência em relação ao dinheiro que afeta a capacidade de enriquecer. Seu trabalho é descobrir essas crenças para decidir quais estão atrapalhando e de quais novas crenças você pode precisar no caminho para a riqueza.

O único jeito de mudar esses tipos de viés é por meio da conscientização. Só assim você poderá percebê-los. Exige prática, mas é para isso que servem as manhãs!

Um recurso excelente para explorar as diversas formas pelas quais o cérebro pode moldar sua caixa financeira é o livro *Your Money and Your Brain*, de Jason Zweig.

CAIXA NOVA: COMO CRIAR SUA VISÃO MILIONÁRIA

Em *Wealth Can't Wait*, meu coautor e eu escrevemos sobre a diferença entre "jogo no ar" e "jogo no chão".

Seu jogo no chão é o esforço diário trabalhando arduamente para fazer o que precisa ser feito. Quando a maioria das pessoas pensa em trabalho, elas estão pensando no jogo no chão: as ligações de vendas que fazem, o número de pregos que pregam, as palavras que escrevem ou os incêndios que apagam. O jogo no chão é a "ralação" para ganhar o salário.

Sem dúvida, o jogo no chão é essencial. Você não vai ficar milionário sentado à toa, mas, como a maioria das pessoas conhece *apenas* o jogo no chão, acaba empacando nele. O seu jogo no chão está dentro da caixa.

O jogo no ar é algo bem diferente. É o alto da montanha de 15 mil metros, a visão de mil quilômetros da sua vida. O jogo no ar inclui os planos e as táticas para enriquecer. Ele é uma perspectiva de alto nível da sua vida a fim de garantir que os esforços do seu jogo no chão estejam concentrados no lugar certo. O ideal é que o jogo no ar o obrigue a expandir sua caixa.

Não é possível ter um sem o outro. Só ar sem chão significa que você está buscando um passe de mágica. É o que acontece quando você não escolhe a porta da riqueza e apenas *espera* ficar milionário.

Contudo, só chão sem ar pode ser igualmente problemático. É quando você rala todos os dias, trabalhando cada vez mais, só para descobrir que todo esse esforço não levou a uma riqueza significativa ou, pior ainda, não levou a *nada*.

No próximo capítulo, vamos ensinar a definir objetivos em nível milionário e criar planos para conquistá-los. Porém, os objetivos, planos e riqueza se encaixam em um contexto mais amplo, o maior jogo no ar, que se chama *vida*. Tudo isso precisa se unir para se encaixar na vida que você deseja. Você pode escolher toda a riqueza do mundo, mas nunca vai conquistá-la ou mantê-la se ela não servir na sua vida.

Para garantir que você fez a escolha certa e que os objetivos financeiros que definiu vão servir, é importante estabelecer o que você deseja para sua vida. Eu chamo isso de *visão*, o mais alto ponto de observação do meu jogo no ar.

Defino objetivos anuais nas últimas páginas do meu diário. Esse diário vai comigo a todos os lugares, pois funciona como caderno de anotações, lista de tarefas a cumprir e depósito de pensamentos em geral. No final de um ano, ele forma um registro em papel do meu pensamento nos últimos doze meses.

Nada disso, porém, funciona sem a minha visão. Embora os objetivos sejam geralmente criados em uma estrutura de um ano, tenho visões de cinco e trinta anos para minha *vida*.

Esses registros com a minha visão, o nível mais alto do meu jogo no ar, assumem uma forma bastante singular. Esse é o processo que eu uso.

CARTA DE UM MILIONÁRIO NADA MISTERIOSO

Imagine receber uma carta de um milionário de sucesso na qual essa pessoa não só descreve o que parece uma vida perfeita de abundância como também oferece orientação e estímulo para criar tudo isso. Essa carta seria igualmente valiosa e fascinante.

Essa é a técnica que uso para criar minha visão de futuro, só que a pessoa rica em questão sou *eu* mesmo. Escrevo uma carta para mim como se estivesse em algum ponto distante do futuro (geralmente cinco ou trinta anos).

Nessa carta, descrevo minha vida e minhas conquistas, além de oferecer diversas orientações e estímulos para minha versão mais jovem.

Você pode fazer o mesmo: escreva uma carta como o seu *eu* feliz, saudável e rico do futuro. Pode parecer meio estranho no começo, mas escrever para seu eu *do futuro* fornece resultados diferentes do que imaginar o futuro de sua perspectiva no presente. A primeira opção exige se colocar *no lugar da pessoa em quem você vai se transformar*, o que é diferente de apenas imaginar as circunstâncias do futuro. Isso evita que você só deseje e aproxima do sentimento de riqueza verdadeira.

Aqui estão minhas estratégias favoritas para escrever uma ótima carta da sua versão rica do futuro para o seu eu do presente.

1. Visualize o futuro como se você estivesse lá

Para começar o processo, você pode usar as técnicas de visualização dos Salvadores de Vida detalhadas no Capítulo 3, a fim de imaginar um futuro ousado.

Como é a sua vida? Como é o ambiente ao seu redor? Como vai a sua empresa? No que ela se transformou após o crescimento? Como estão seus relacionamentos? Sua saúde? Visualize tudo isso.

2. Crie sua visão sem medos ou dúvidas

Não custa absolutamente nada criar uma visão ousada e inspiradora.

Lembre-se: você está escrevendo sobre algo que *já aconteceu*. Não há espaço para dúvidas.

3. Escreva no tempo presente

Descreva a vida no futuro, mas como se você estivesse lá naquele momento. O objetivo não é dizer: "Terei uma casa grande e uma empresa próspera", pois você está escrevendo como se tudo isso existisse no *agora* do seu eu futuro.

Você também pode oferecer conforto e conselhos. Às vezes, imaginar o eu futuro pode ser um atalho para identificar o que está atrapalhando você no presente.

4. Alinhe sua visão com emoções

Não coloque algo em sua visão se não tiver certeza de que é o certo. Ao fazer *brainstorming* sem restrições, é fácil se empolgar com o que não é tão importante assim, como ilhas particulares e garagens para doze carros. Não há nada de errado com tudo isso, mas não os inclua a *menos que você sinta fortemente que é o certo para você*.

5. Não se preocupe com os detalhes da sua visão

O que vai acontecer quando você começar a imaginar um futuro muito diferente da sua realidade atual é o surgimento das perguntas sobre *como* criá-lo. Esses pensamentos quase sempre vão inibir sua visão.

Por exemplo, em sua visão do futuro você pode dizer: "Estou escrevendo para você da nossa casa de férias na França, onde ficamos por três semanas a cada trimestre." Por um breve momento você se empolga, pois *sempre* quis morar na França.

Até que a realidade surge de mansinho: *Como posso bancar uma casa na França? E quem vai cuidar dela quando eu não estiver lá? Além disso, não posso tirar três semanas de férias a cada trimestre. Isso é uma loucura!*

Quando você se dá conta, está reescrevendo a visão pela qual você é apaixonado e transformando em algo mais *razoável*.

A visão não tem a ver com ser razoável. Ela tem a ver com a vida que você deseja, não *como* você vai consegui-la. Esqueça o *como* por enquanto. Você tem semanas, meses e anos para pensar nisso. Agora não é a hora de *imaginar* a vida que você quer, mas de *mergulhar nela*.

Lembre-se: é o futuro e você está milionário. Como é a sua vida? O que você quer contar para a sua versão não milionária?

Ao pensar na visão para a sua vida como se não houvesse limitações, você começa a sair da caixa. Talvez essa visão não seja realizada de imediato, mas pensá-la sem restrições é o primeiro passo para chegar lá.

VOLTAR AO PRESENTE

Depois de elaborar sua visão sem se preocupar com os detalhes da realização, é hora de começar a ser mais prático.

Para isso, você ainda precisa ficar nos 15 mil metros de altura. Ainda não vamos chegar ao chão com os objetivos e planos. Mantenha a mente clara e a visão ampla, mas chegou a hora de pensar um pouco nas formas de aplicar seu tempo, energia e habilidades no *presente* para criar riqueza.

Em seu livro *Empresas feitas para vencer*, Jim Collins usa o chamado "conceito do porco-espinho", que mostra a interseção de três círculos onde as empresas deveriam concentrar seus esforços para ter sucesso.

Eu uso um conceito similar para indivíduos, no qual você analisa três círculos de sua vida em busca das sobreposições, que representam os pontos nos quais você vai concentrar seus esforços para construir riqueza.

Os três círculos são:

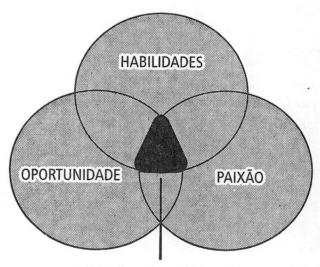

Melhor ponto para construir riqueza

Habilidades

Ter habilidade significa ser excepcional e continuar melhorando no que faz. Você pode estar na empresa ou carreira mais lucrativa do mundo, mas se não tiver a capacidade de trabalhar em alta perfomance e continuar se aperfeiçoando, não vai enriquecer.

Pergunte a si mesmo:

- O que eu faço muito bem?
- No que tenho mais experiência do que a maioria das pessoas?
- Em que habilidades continuei a me aperfeiçoar ao longo do tempo?

Oportunidade

Ser excepcional em uma empresa que cria algo pelo qual as pessoas não desejam pagar não vai deixar você milionário. Concentrar esforços em um trabalho que paga mal, não tem demanda nem futuro também não vai enriquecer você. Para ficar milionário é preciso se concentrar nas oportunidades que ofereçam recompensas financeiras:

Pergunte a si mesmo:

- Existe algo singular na minha situação?
- O que está faltando no mundo que eu posso fornecer?
- Que recursos eu tenho? Ou a quais recursos eu tenho acesso?

Paixão

A paixão não deve ser confundida com "Preciso amar meu trabalho o tempo todo". Isso é uma cilada e nunca leva a riqueza. Sim, é importante amar o que faz. Você precisa acordar empolgado com o trabalho, mas o seu dia nem sempre será fácil e alegre. Isso é um mito. Até as pessoas mais bem-sucedidas do mundo, que *amam* o que fazem, têm dias difíceis. Elas precisam tomar decisões complicadas, enfrentam empecilhos e desastres de todos os tamanhos, além de ter dúvidas e questionar as próprias escolhas.

A paixão significa saber que você tem combustível para a jornada e está inspirado o bastante para trabalhar muito e se aperfeiçoar sempre. Sem paixão, você provavelmente não vai conseguir manter esse ritmo por tempo suficiente para ficar rico.

Pergunte a si mesmo:

- O que eu aprecio?
- O que me disponho a fazer, mesmo sendo difícil?
- O que me disponho a fazer, mesmo se não tiver compensação imediata?

O centro

No centro do círculo está o melhor ponto para construir riqueza. A sobreposição de apenas *dois* círculos não basta: a falta de paixão significa o fim do combustível para a jornada, não ter oportunidade significa ficar sem dinheiro, e a falta de habilidade significa que sua empresa vai à falência ou sua carreira está empacada. Você precisa de algo que atinja as três áreas.

Os milionários trabalham no centro do diagrama, onde todas as áreas se sobrepõem. É o lugar onde você faz o que sabe fazer melhor, é recompensado pelo mercado e continua todos os dias porque aprecia seu trabalho.

A BUSCA POR UMA NOVA CONCHA

Em um mundo perfeito, você começaria a jornada milionária com uma *tabula rasa*, uma tela em branco sem programações passadas, crenças limitantes e mentalidade de escassez. Nesse estado você pode imaginar o mais ousado dos futuros financeiros e seguir na direção dele sem medo ou incertezas.

É claro que *ninguém* vive isso. Todos nós temos um passado, tipos de viés, crenças, medos e ansiedades. Não existem milionários que jamais tenham enfrentado dificuldades ou *ainda* não as tenham. Faz parte do processo. Afinal, trocar de concha pode ser arriscado para nós, humildes caranguejos-eremitas, mas *é por esse risco que somos recompensados*.

Não há cura para a dúvida e nem há vida sem caixa, mas saiba o seguinte: *as manhãs são os momentos de liberdade para expandir a caixa*. O milagre da manhã é o momento de pensar fora da caixa, ver além de suas limitações, recomeçar, fazer uma jogada ousada e deixar para trás a segurança de sua antiga casca para buscar algo maior, melhor e mais brilhante.

MILIONÁRIOS DA MANHÃ

Leio meus objetivos antes de dormir e quando acordo, cinco dias por semana. Existem dez objetivos de saúde, família e negócios com datas de validade, e eu os atualizo a cada seis meses.

— Daymond John, empresário, investidor, escritor, palestrante motivacional e personalidade da mídia nos Estados Unidos

Capítulo 6

TERCEIRA LIÇÃO: SEU PLANO DE VOO

OBJETIVOS, PLANOS E O CAMINHO PARA A RIQUEZA

A capacidade de estabelecer objetivos de alto nível é o ápice na evolução do cérebro humano.

— Adam Gazzaley e Larry D. Rosen, *The Distracted Mind*

Se você pudesse voltar no tempo para os primeiros dias da vida na Terra, descobriria que tem algo em comum com seus ancestrais primitivos: *objetivos*.

Lá na sopa primordial do passado evolucionário distante, bem antes dos cérebros e sistemas nervosos, os organismos unicelulares eram voltados para objetivos. Eles tinham detectores simples que lhes permitiam sentir substâncias químicas e se mover na direção do que era bom para eles e afastar-se do que era ruim.

Ao longo de milênios, esse comportamento básico de buscar objetivos vem se aperfeiçoando imensamente, mas o ser humano continua sendo uma espécie do tipo que procura e evita. Nós sobrevivemos procurando o que nos permite sobreviver e evitando o que nos prejudica.

Sobreviver, contudo, é bem diferente de *prosperar*. A sobrevivência financeira é algo que quase todos no planeta fazem bem. As pessoas se viram. Elas comem, encontram abrigo, trabalham, são pagas e voltam para casa.

Mas ganhar a vida não é o mesmo que *fazer* a vida. Financeiramente, *prosperar* significa mais que sobreviver. É levar essa dicotomia básica evolucionária entre dor e prazer a um novo patamar, alcançável quando você canaliza as manhãs a seu favor.

OBJETIVOS E PLANOS

Embora o ser humano ainda procure o prazer e evite a dor, ele tem muitas funções avançadas do cérebro à disposição.

A primeira dessas funções é a possibilidade de definir objetivos para o *futuro*. O cérebro complexo nos permite imaginar um futuro, como fizemos no capítulo anterior, e também definir objetivos claros que podem transformar esse futuro em realidade.

A segunda é que, após definir os objetivos para o futuro, podemos criar um plano para alcançá-los, elaborando os passos, imaginando os obstáculos e identificando os recursos de que precisamos para chegar a um objetivo. Os objetivos dão vida a sua visão, e os planos ajudam a alcançar seus objetivos.

Eu chamo essa combinação de *plano de voo*. É uma metáfora simples, mas funciona bem. Se você quiser voar para algum lugar, precisa de duas informações no avião: o destino (objetivo) e o mapa (plano). Ambas são essenciais. Você pode muito bem querer voar para Nova York, mas, se pegar a bússola e o avião sem mapa, vai acabar voando em direções aleatórias e passando longe dessa cidade.

Você provavelmente já viveu a sensação de ter uma dessas partes sem a outra. Definir um objetivo sem planejamento significa se empolgar por um breve período e acabar se decepcionando quando esse objetivo não se materializar espontaneamente. Você sente o "barato" de ir a mais um seminário ou fazer outra resolução de ano-novo, mas depois volta para a vida de sempre.

Da mesma forma, o planejamento sem objetivo leva a estar "ocupado" sem resultados concretos. Existe um movimento, mas a energia não direcionada faz você navegar a esmo pela vida.

À medida que minha riqueza aumentou, aprendi que um dos elementos fundamentais para definir os endinheirados é o quanto eles são organizados. Você não encontra muitos milionários (e eu conheci vários) sem as duas partes do plano de voo. Eles conhecem os próprios objetivos e têm um plano para alcançá-los. Eles têm consciência do que estão fazendo naquele dia, semana e mês, além de saberem para onde vão.

Se você quiser que a vida combine com sua visão, precisa ter essa abordagem decidida. É preciso definir um destino *e* uma rota. Ter um plano de voo é fundamental.

Neste capítulo vamos aprender a usar o *O milagre da manhã* para (a) criar objetivos significativos para você e (b) criar um plano para alcançá-los.

OBJETIVOS À MODA DOS MILIONÁRIOS

Faço dois tipos de anotações em meu diário: pensamentos e objetivos.

Os pensamentos são a *escrita* no meu ritual matinal, um conjunto de ideias, rabiscos, grandes quantidades de informação e outras meditações. É um processo contínuo e não muito estruturado.

As páginas finais do diário são diferentes. É ali que guardo meus objetivos. Como tenho o hábito de defini-los e estou comprometido com a minha visão, leio esses objetivos de manhã como parte dos Salvadores de Vida. Quando conquisto objetivos, passo caneta marca-texto sobre eles. E até uso cores diferentes para defini-los em diferentes categorias.

Antes que você pense que eu nasci definindo objetivos e criando listas, preciso confessar que fui um aluno nota seis e um terrível procrastinador. Se havia algum trabalho a fazer, eu adiava o máximo possível. (Odeio admitir, mas uma vez comprei uns CDs que deveriam conter mensagens subliminares "contra a procrastinação". Não sei se funcionou, pois só ouvi barulho do mar, mas continuei a procrastinar por muitos e muitos anos depois disso.)

Não conheço uma palavra que represente o oposto de definir e conquistar objetivos, mas fui exatamente isso por vários anos. Se você tem dificuldade para definir um destino e mais ainda para chegar lá, *por favor* entenda que você não recebeu uma sentença perpétua de mediocridade financeira.

Após algumas tentativas desajeitadas, estava claro que eu realmente fiz a *escolha* de ser rico, mas não havia encontrado o caminho e a autodisciplina para isso. Eu só pisava fundo no acelerador e esperava chegar a algum lugar, de preferência ganhando um caminhão de dinheiro pelo caminho.

Aos vinte e poucos anos, quando entrei no mundo dos negócios, comecei a ver quais objetivos eram úteis, e foi ótimo ter alguma noção de onde eu estava indo. Porém, quando eu anotava um objetivo, ele parecia destinado a sumir em algum tipo de purgatório onde eu nunca mais o veria e muito menos pensaria nele. No que me dizia respeito, os objetivos iam para o mesmo lugar das meias que somem na secadora de roupas.

Desde então eu refinei o processo de definir objetivos até encontrar algo que funcionasse extraordinariamente bem. Com isso, deixei de ser um supremo procrastinador, virei uma pessoa orientada a objetivos e alinhei minhas ações com o que vários milionários do mundo fazem. Baixe o modelo para definição de objetivos que eu uso em www.thegoaltemplate.com/MM.

1. Defina objetivos durante o estado de pico

Uma das maiores surpresas da jornada para melhorar minha definição de objetivos foi descobrir que o objetivo em si era apenas parte do processo. O que fez uma enorme diferença foi *o estado no qual eu definia o objetivo.*

Se eu definisse um objetivo quando estava cansado, sobrecarregado ou desestimulado, por exemplo, a probabilidade de fracassar era muito maior. Por outro lado, os objetivos que defini quando estava me sentindo energizado, otimista e confiante eram os que eu tinha maior probabilidade de seguir e realizar.

Esse estado mais elevado em que eu me sentia no auge foi chamado pelos psicólogos de *estado de pico*. É uma mentalidade na qual você tem mais percepção, humor e disposição. Se você conseguir definir objetivos nesse estado, vai criar objetivos muito mais inspiradores e com os quais você se identifica.

É aí que entram as manhãs. *O milagre da manhã* é o jeito ideal de ter experiências de pico mais consistentes e poderosas, antes que o dia vá afogando você em detalhes e atrapalhando seu pensamento.

Durante a rotina matinal, observe os momentos em que você se comoveu, emocionou ou inspirou. Pode ter sido durante os exercícios, a leitura, a escrita ou os períodos de silêncio. Todos os Salvadores de Vida fornecem oportunidades de inspiração.

E quando ela vier? *Capture-a*. Anote em seu diário não só o objetivo como o contexto ao redor dele. O que você estava fazendo, pensando e sentindo? O que o levou a pensar "Quero fazer *isso*"?

A inspiração pode chegar a qualquer momento, e você pode tentar criar esse estado intencionalmente ao ver filmes inspiradores, ler livros motivacionais ou ir a lugares que renovem as energias. O seu contexto emocional mais poderoso pode estar na natureza, em um café ou em um avião a 12 mil metros de altura. Você pode encontrá-lo em um templo religioso, passando tempo com os amigos ou ouvindo uma música.

O estado de pico tem duas vantagens. A primeira é que você pode definir objetivos melhores, escolhendo o que *quer* e considera empolgante.

A segunda vantagem é poder voltar a esse estado ao rever seus objetivos ou quando encontrar um obstáculo pelo caminho.

- *Bateu o desânimo?* Visite a ponte com vista para o rio onde você definiu seu objetivo.
- *Está procrastinando?* Faça uma caminhada na trilha onde você tem suas melhores ideias e resolva os problemas difíceis.
- *Com medo de um novo passo?* Ouça aquela música capaz de mudar o seu estado.

O objetivo é chegar ao estado no qual você possa se comover, emocionar e inspirar com algo. Canalizar essa mentalidade e abrir a percepção do que é possível dá a energia para continuar diante da adversidade. Os estados de pico são o combustível para seus objetivos e um recurso utilizado para se transformar na pessoa que deseja mais da vida, incluindo riqueza, e busca uma caixa bem maior do que a atual.

2. Seja flexível

Por muitos anos quis correr uma maratona. É o clássico de todo objetivo físico, um teste para a mente, o corpo e o espírito. Com todo o treinamento matinal, a dedicação e a vontade de expandir meus limites, correr uma maratona parecia algo que eu deveria fazer. Uma *obrigação*.

Eu treinei, corri de manhã cedo, arranjei tempo para a esteira e, como marco dessa jornada para a maratona, fiz o que muita gente faz e me inscrevi em uma meia maratona.

Foi horrível. Eu me senti péssimo por vários dias após aquela corrida. Tão péssimo que abandonei meu objetivo de maratona para aquele ano.

Então redefini o objetivo. Ao longo do caminho, mais uma vez me inscrevi em uma meia maratona. Mais uma vez, eu me senti péssimo. Não gostei nem durante, nem depois da corrida.

Conversei com um mentor sobre esse objetivo. Ele *amava* correr, mas sofria com problemas nos joelhos e tornozelos. Eu também não queria esse tipo de problema.

Uma bela manhã olhei para o objetivo e pensei: *Eu não amo isso. Não quero fazer isso.*

Então eu o tirei da lista e nunca mais recoloquei.

A maratona era um objetivo que eu devia fazer para provar a mim mesmo que podia. Uma obrigação. Mas eu não queria trabalhar para isso. No fim das contas, eu não desejava correr uma maratona. Queria ser alguém que *tinha corrido* uma maratona. Eu desejava a medalha, mas sem trabalhar por ela.

Isso é particularmente válido para objetivos de riqueza. Os objetivos que você considera *obrigações* não levam à mudança nem aceleram o caminho para a riqueza. Por isso, é melhor reconsiderá-los com cuidado e abrir mão deles conforme necessário.

Dos 25 a 30 objetivos que defini em um ano, provavelmente larguei uns 10% deles. Alguns são pequenos e outros grandes, mas todos têm algo em comum: podem ser alterados. Para mim, os objetivos têm vida e respiram. Mudam à medida que você muda. Vêm e vão.

Como acontece com o leite, os objetivos podem ter data de validade. Às vezes um objetivo se encaixa apenas em um determinado período da sua vida e é superado ou precisa de uma pausa. Eu amo golfe, por exemplo. Normalmente jogo em torneios e defino objetivos para meu desempenho, mas este ano vi que não estava concentrado naquilo, pois estava abrindo uma nova empresa e andava *muito* inspirado com aquele processo. Descobri que, enquanto eu estava no campo, em vez de pensar no golfe minha cabeça estava no trabalho. Eu jogava muito bem por oito ou nove buracos, depois ia terrivelmente mal. A verdade é que eu queria trabalhar em vez de jogar golfe. O golfe não estava me dando aquele fogo emocional e tinha perdido o contexto, pelo menos temporariamente. Eu tinha colocado na minha lista de objetivos fazer dez aulas de golfe com um profissional para melhorar meu jogo. Não conquistei esse objetivo este ano e tudo bem, porque minha inspiração está em outro lugar.

Não abandonei a ideia do nada. Foi uma escolha baseada em *feedback*. Eu sabia que precisava parar de brigar com o fato de não me sentir inspirado por aquele objetivo e tinha que fazer uma escolha consciente.

Embora não haja problema em abrir mão de um objetivo que não inspira nem serve mais, o sucesso econômico exige que você escolha algo, mantenha-se nele e encontre o sucesso. Vamos falar sobre persistência e abandonos em "Quinta lição: o efeito pica-pau", mas entenda que você precisa de um pouco de garra para ser milionário, e não ter objetivo algum é um grande erro.

3. Revise os objetivos

É absurdamente fácil perder o contato com seus objetivos. Você imagina que um objetivo definido em um estado de pico, que o empolgou e inspirou a agir, não precisaria de mais reflexões, mas a vida leva o "decaimento de objetivos" aos patamares mais inspiradores.

O milagre da manhã é o momento perfeito para rever seus objetivos. É o jeito mais fácil de encontrar um estado de pico para entrar em contato com a inspiração original que alimentou seu objetivo, além de ser um horário em que geralmente estamos mais otimistas.

Não revejo meus grandes objetivos todos os dias, mas gosto de repassar meu plano de voo pelo menos uma vez por semana. É uma oportunidade de revisitar minha inspiração, conferir meu rumo e progresso e ver se ainda estou seguindo o caminho que vai me levar à vida que desejo.

4. Dê uma recompensa a si mesmo

Nem todo objetivo é inspirador por si só. Sinceramente, minhas 240 práticas de exercícios físicos por ano não me inspiram, mas, para chegar onde preciso, tenho que cuidar do meu corpo. Então eu faço. Os exercícios são a gasolina no meu tanque.

Independentemente do objetivo, acho útil incluir um pouco de *recompensa* e depois *recarregar*. Isso ajuda a manter a energia resoluta em alta ao longo do plano de voo.

A *recompensa* é um jeito crucial de fechar o ciclo do objetivo. Você não precisa pegar um jatinho particular até Bora Bora para se recompensar, mas pode ir ao parque mais próximo e fazer um piquenique. Eu acredito na importância das recompensas. Não é só uma cenoura para fazer você seguir em frente, mas um reconhecimento por ter conquistado algo. Apenas ir em frente e nunca se recompensar, para mim, diz ao subconsciente que *todo esse trabalho não tem um motivo real*. Quando você alega não ter condições de tirar férias, de certa forma está dizendo ao subconsciente que *não precisa de mais dinheiro porque não vai tirar férias mesmo*.

As recompensas também servem para ajudar a *recarregar*. Se você tratar seu ânimo e corpo como um cavalo que precisa ser chicoteado para trabalhar mais, o cavalo vai acabar falhando e o ânimo vai morrer.

Trate bem o seu "cavalo". Alimente-o, leve-o para tirar férias, se puder. Ao fazer isso, ele terá um bom desempenho na corrida da vida. (E não esqueça que o inverso também é válido: alimente demais seu cavalo e recompense-o pelos méritos errados e ele vai ficar gordo e lento!)

Tento tirar férias com a família uma vez por trimestre. Não precisa ser algo épico ou caro; é possível fazer trilhas em parques gastando pouco. Mas é importante fazer isso. Descobri que, como resultado dessas pausas, fiquei *mais* produtivo e ganhei *mais* dinheiro.

Recompense a si mesmo com experiências poderosas. Elas lhe darão novas ideias, recursos, habilidades e aumentarão suas possibilidades.

PLANOS QUE GERAM RIQUEZA

Os objetivos são destinos, representam onde você quer chegar. Eles podem mudar, inspirar e ser documentos vivos, mas são apenas o ponto onde você quer *estar*, e não onde você está agora.

Para *chegar* aos seus objetivos, é preciso ter um plano.

Existem muitas formas de planejar, e você deve criar a sua do jeito mais adequado ao seu caso, mas estas são as partes essenciais do quebra-cabeça do planejamento com maior probabilidade de levar você ao sucesso.

1. Defina sempre um próximo pequeno passo

Assim como um mapa não mostra tudo o que você vai encontrar em uma viagem, os planos não incluem todas as etapas a serem feitas, mas existe um passo sempre essencial: *o próximo*.

Este é um dos melhores truques que conheço para seguir o seu plano. *Sempre* defina o próximo passo, não importa o quanto seja ridiculamente pequeno. Quando empaco em um plano, é quase sempre porque o próximo passo não está claro ou tenho medo de fazê-lo. Em todos os casos, o problema em geral pode ser resolvido definindo a menor ação possível a ser realizada a seguir.

Às vezes é um passo simples como "pedir conselho a um amigo". Em outras ocasiões é procurar um número de telefone, mas nunca falha: defina um próximo passo pequeno o suficiente e você vai entrar em ação.

2. Antecipe obstáculos

Não existem estradas perfeitas no caminho para a riqueza. Você *vai* encontrar problemas, obstáculos e decisões difíceis pela frente. Sabendo disso, você pode se preparar para eles.

É fácil imaginar obstáculos como ficar sem dinheiro ou enfrentar uma recessão. Embora seja importante antecipar os desse tipo, lembre-se que obstáculos nem sempre são externos. Você deve colocar ainda mais ênfase nos obstáculos *internos*.

- Que hábitos podem sabotar você?
- Que medos podem paralisá-lo?
- Que habilidades, experiências ou visões lhe faltam?

Quais são os problemas mais óbvios que você pode enfrentar? Para cada um deles, liste os obstáculos internos e externos mais prováveis de encontrar e depois use parte do seu *Milagre da Manhã* para visualizar como superá-los.

3. Reveja o plano

Segundo um antigo ditado, "nenhum plano de batalha sobrevive ao contato com o inimigo". Em outras palavras, os planos tendem a mudar quando são executados no mundo real. Isso não significa que eles não sejam cruciais, mas é preciso considerá-los um mapa no qual as estradas tendem a mudar.

É aí que as manhãs brilham. Além de definir seus objetivos, as manhãs são perfeitas para revisitar seu plano de voo com a mente tranquila e clara. É a hora de rever com a melhor perspectiva e mais criatividade para se adaptar às mudanças.

COMO DEFINIR SEU PLANO

O plano não é um objetivo nem apenas uma lista de tarefas a cumprir. É um mapa que indica como ir de A até B, de onde você está agora até a vida de abundância que deseja ter.

Digamos, por exemplo, que você seja um corretor de imóveis e queira ficar milionário. Como poderia ser o seu plano para isso?

Um plano mais simples poderia ser assim:

1. Ser o melhor corretor que puder a fim de aumentar as comissões.
2. Economizar 30% de todas as comissões a fim de criar um fundo e comprar um imóvel para alugar.
   - Comprar um imóvel para investir.
   - Administrar esse imóvel de modo eficaz.
   - Alavancar esse imóvel para comprar outro.
   - Acumular dez imóveis para alugar.
   - Quitar todos.
   - Ser milionário!

Esse é um plano viável e que pode ser repetido para ficar milionário. Foi o caminho escolhido por muitas pessoas e pode ser feito novamente.

O que ele não inclui são todos os itens práticos pelo caminho. Cada um dos passos anteriores vai envolver várias outras tarefas, e, embora você possa não saber todas, pode descobrir qual será a *próxima*. Por exemplo:

1. Ser o melhor corretor que puder a fim de aumentar as comissões. Próximo passo: *contratar um coach.*
2. Economizar 30% de todas as comissões a fim de criar um fundo e comprar um imóvel para alugar. Próximo passo: *abrir uma conta bancária específica para esse fundo.*
3. Comprar um imóvel para investir. Próximo passo: *marcar um horário com meu gerente para analisar financiamentos e contratos.*

4. Administrar esse imóvel de modo eficaz. Próximo passo: *entrevistar cinco empresas de administração de imóveis.*

Nenhum desses passos é particularmente desafiador, mas todos são essenciais para o nosso corretor fictício. Todo dia haverá novos próximos passos, mas o plano geral pode continuar mais ou menos o mesmo.

Podemos fazer uma variação desse plano para um contador, empreiteiro ou professor, e poucos detalhes vão mudar. O empreiteiro pode se concentrar nos imóveis que precisam de reparos. O professor pode buscar uma propriedade no período de aulas e deixá-la pronta para alugar durante as férias escolares, quando ele mesmo pode reformá-la. O contador pode ter acesso a fontes de financiamento alternativas além do banco.

O poder do plano não está em saber tudo. Basta saber o destino, o caminho ideal para você e o próximo passo para chegar lá.

AGORA x FUTURO

Os planos de voo falam do futuro. Eles guiam seus passos, dizem o que fazer a seguir e por que e para onde esses próximos passos vão levar. Um bom plano de voo diz para onde você vai, com que velocidade e como chegar lá.

Porém, é importante lembrar que existe um *agora* que é a sua vida, e recomenda-se arranjar tempo para ela. Eu vi muitos milionários se negarem um *agora* e prejudicarem seus relacionamentos, saúde e felicidade.

Uma pergunta que gosto de fazer às pessoas é: O que você sempre quis fazer com sua vida e acabou adiando? Ouvi muitas respostas, como:

- Quero conhecer a Itália.
- Quero voltar ao lugar de onde vieram meus ancestrais.
- Quero entrar em forma.
- Quero aprender a cozinhar.

Gosto de fazer a seguinte pergunta a seguir: quando você vai fazer isso? De novo, existem muitas respostas:

- Quando tiver condições financeiras.
- Quando tiver mais tempo.
- Quando me aposentar.
- Quando meus filhos saírem de casa.

Sabe o que é mais impressionante nessas duas perguntas? A resposta para a primeira é empolgante e cheia de esperança, enquanto a resposta para a segunda é frequentemente trágica a longo prazo.

Os objetivos dizem respeito ao futuro. Mas não cometa o erro de adiar *tudo* até uma data distante quando você terá tempo, dinheiro e saúde. É sempre possível que esse dia nunca chegue.

Defina objetivos, crie planos, transforme-se na melhor versão de si mesmo e construa a riqueza que deseja, mas não se esqueça: você tem um *agora* que também é repleto de potencial.

MILIONÁRIOS DA MANHÃ

Oprah Winfrey começa as manhãs com vinte minutos de meditação, que a enchem de "esperança, contentamento e alegria profunda", segundo ela.

Depois, ela vai para a esteira a fim de aumentar a frequência cardíaca. Oprah jura que pelo menos quinze minutos de exercícios físicos melhoram a produtividade e aumentam a disposição.

Em seguida, ela entra em "sintonia" ao fazer uma caminhada, ouvir música ou preparar uma bela refeição. Por fim, Oprah sempre conclui o ritual fazendo uma refeição saudável cheia de carboidratos complexos, fibras e proteínas.

— Bryan Adams, Inc.com

Capítulo 7

QUARTA LIÇÃO: COMO SE TORNAR SUPER

O PODER DA ALAVANCAGEM PARA CRIAR RIQUEZA

"Não basta estar ocupado (...). As formigas também estão. A pergunta é: com o que você se ocupa?"

— Henry David Thoreau

Quando estava com trinta e poucos anos, um dia descobri uma erupção cutânea estranha no peito. Ao me olhar no espelho, parecia que alguém tinha esfregado urtiga em mim enquanto dormia: havia uma faixa vermelha horrorosa de bolhas de pus espalhadas em um lado do meu peito.

Ao contrário da urtiga, contudo, essa erupção *doía*. Era incrivelmente dolorosa. Eu não fazia ideia do que era, mas doía tanto que estava difícil me concentrar no trabalho, então fui ao médico.

O doutor deu uma olhada, reclinou-se na cadeira e disse:

—Herpes-zóster.

— Herpes-zóster?

— Sim, herpes-zóster.

Ele explicou que se tratava de uma reincidência do mesmo vírus que causou a catapora que tive quando criança, como tantas outras pessoas.

— O estranho é que isso só costuma aparecer em pessoas de cinquenta ou sessenta anos. Em geral você precisaria ser mais velho, estar doente ou muito estressado. Sinceramente, não sei por que você tem isso — comentou ele.

Mas eu sabia muito bem.

Na época eu estava em Dallas, administrando os imóveis que tinha comprado. Além disso, já tinha aberto quatro franquias e estava a todo vapor, fazendo a minha especialidade: *trabalhar com afinco*.

Nesse período, eu pensava que trabalhar muito era o segredo para a riqueza, os negócios, o sucesso e tudo o mais. Minha estratégia era continuar acrescentando horas ao meu dia de trabalho para cumprir as tarefas.

E havia *muito* para resolver.

Eu fazia tudo, de comprar móveis para o escritório e montar cubículos até administrar dinheiro, recrutar funcionários e consertar computadores. Se havia um trabalho, eu colocava as mãos nele. Porém, eu estava me destruindo nesse processo, e o doloroso caso de herpes-zóster serviu de alerta. Afinal, eu estava sofrendo de uma doença que afetava pessoas muito mais velhas ou pacientes de câncer ou HIV. Definitivamente, algo precisava mudar.

O ABC DA RIQUEZA

Mais ou menos na mesma época em que estava sendo afetado pelo herpes-zóster, assisti a uma palestra e encontrei um homem cujo patrimônio líquido somava quase um bilhão de dólares. Durante nossa conversa fiz algumas contas rápidas de cabeça. Eu sabia o quanto estava trabalhando para gerar uma pequena fração da riqueza dele e tentei imaginar o trabalho necessário para gerar um *bilhão* de dólares. Como eu poderia conseguir tudo aquilo? E como *ele* não tinha herpes-zóster?

Perguntei ao bilionário:

— Como é possível fazer tudo? Minha empresa é microscópica comparada à sua, e estou ficando mais sobrecarregado a cada dia que passa.

Ele respondeu:

— O segredo do meu sucesso é simples. Toda manhã escrevo as sete principais tarefas que preciso fazer naquele dia.

Sete principais tarefas. Tudo bem, pensei.

Ele continuou:

— Depois eu faço as três primeiras.

— Só isso?

— Só isso. Esse é o segredo de todo o meu sucesso.

Eu o vi se afastar, feliz da vida, enquanto eu coçava as cicatrizes do meu herpes-zóster.

Voltei ao escritório transformado. Antes eu atacava a lista de tarefas na ordem em que a escrevia, mas passei a atribuir prioridades a tudo, com níveis A, B ou C. O nível A tinha prioridade máxima, e o C, mínima.

E depois?

Eu só fazia os As.

Mesmo se fossem as tarefas mais difíceis ou eu não quisesse enfrentá-las, eu fazia as tarefas A, pois sabia que eram as mais importantes da minha empresa. Se o bilionário fazia isso, então era o que *eu* ia fazer. E fim de papo.

Foi uma revelação.

Duas consequências aconteceram quase de imediato.

A primeira, e mais surpreendente, foi que comecei a me divertir muito mais. Antes eu acordava para um dia de tarefas infinitas, e maior parte delas parecia atrapalhar o que eu realmente queria fazer. Agora, eu ficava ansioso para o dia, pois tinha certeza de que meu tempo seria gasto do jeito mais valioso possível.

A segunda foi que comecei a obter resultados *muito* melhores. Tudo começou a *acontecer*. Ao concentrar meu tempo no que era mais importante, fui capaz de realizar muito mais. Se eu passasse o dia consertando computadores e montando cubículos, minha empresa não crescia. Na verdade, ela diminuía. Mas, quando passei as *mesmas* horas concentrado nos itens marcados com A, como desenvolvimento da empresa e recrutamento de funcionários, tudo mudou dramaticamente para melhor.

ALÉM DA PRIORIZAÇÃO

Seria fácil rotular os ensinamentos dados pelo bilionário como "priorização" ou "gerenciamento do tempo", e tecnicamente esses rótulos são verdadeiros. Colocar tudo em ordem decrescente de importância é o mais básico dos princípios de gerenciamento de tempo e produtividade. É difícil achar um livro ou workshop sobre o assunto que não inclua alguma variação desse método.

Contudo, "definir suas prioridades" não descreve o que realmente aconteceu e muito menos por que a priorização *funciona*. Como uma simples mudança na sequência de minhas tarefas conseguiu mudar tanto meus resultados?

O bilionário me revelou algo que todo construtor de riqueza iniciante precisa aprender. Alguns aprendem cedo e com facilidade, enquanto outros ficam doentes, como eu. Seja lá quando ou como você aprenda, a lição é a mesma: *para enriquecer é preciso aprender a conseguir mais com os recursos que você tem.*

Para assimilar essa lição, precisamos voltar mais de dois mil anos no tempo, para a época do matemático e inventor grego Arquimedes. Segundo ele, com uma alavanca suficientemente longa e um ponto de apoio, seria possível mover a Terra.

Arquimedes estava falando de alavancas físicas, mas o princípio de *alavancagem* se aplica de modo muito mais amplo. E explica por que tive um impacto muito maior na empresa com o mesmo número de horas ou menos após priorizar o tempo. Eu não estava apenas usando o tempo: eu estava *alavancando*.

A alavancagem significa fazer mais com as mesmas informações ou menos. Ao usar uma alavanca longa para mover algo pesado, você poderá levantar muito mais com a mesma força. Quando usei meu tempo de modo mais determinado, passei a fazer *mais*. Eu passei a aplicar meu tempo nos níveis mais altos da empresa, significando que o tempo estava produzindo *mais*. A mesma entrada de tempo com maior saída de resultados. E, no caso da minha empresa, maior saída significava mais vendas e aumento de riqueza.

A MATEMÁTICA DOS MILIONÁRIOS

Todos nós temos recursos que utilizamos todos os dias. Cada ser humano tem tempo, dinheiro, disposição e bens físicos, recursos que podem ser usados para criar valor e construir riqueza.

Quando você usa o tempo para trabalhar, por exemplo, está usando esse recurso para ganhar renda. Quando deposita seu dinheiro em uma conta de poupança, está usando esse recurso para ganhar (uma quantidade muito pequena de) juros.

Os milionários também possuem recursos. Eles têm tempo, dinheiro, disposição e bens como todo mundo, mas *veem tudo isso de outra forma*.

Quem não é rico pensa:

- Se eu continuar colocando dinheiro na poupança, talvez aumente minha riqueza.
- Se eu acrescentar mais horas ao meu dia, talvez possa fazer mais.
- Se eu gastar mais tempo trabalhando, talvez possa ganhar mais.

Tudo isso é verdade, mas *só até certo ponto*. Embora a maioria das pessoas veja o mundo como uma soma (acrescente mais, receba uma quantidade proporcional), os ricos veem o mundo de outra forma. Eles sabem que acrescentar mais tempo ao dia ou mais dinheiro no banco é só isso: somar. Os milionários não gostam de somar: eles preferem *multiplicar*. Eles gostam de *alavancar* e desejam que seus investimentos de tempo, energia, dinheiro e outros bens aumentem *exponencialmente*, não em linha reta.

Aquele encontro com o bilionário me apresentou à primeira forma de alavancagem: multiplicar meu tempo. Enquanto eu adicionava mais tarefas à minha carga de trabalho até não aguentar mais o tranco, ele estava estrategicamente fazendo as tarefas *certas* para que o tempo dele tivesse o maior valor possível. Eu tentava fazer mais todo dia, enquanto ele fazia apenas as três tarefas mais importantes. Ao longo dos anos, ele *multiplicou* seus esforços, enquanto eu amontoei os meus. A matemática não estava trabalhando a meu favor.

Quando segui o conselho dele, percebi que podia capitalizar meus esforços mudando o jeito de passar o tempo. Subitamente, meu tempo ficou mais valioso, pois aumentei o impacto dele ao multiplicar em vez de somar.

A jornada do herpes-zóster rumo à alavancagem não foi fácil, mas foi poderosa. Como uma pessoa me disse ao ver minha transformação pós-doença: "É como se você tivesse deixado de ser Clark Kent e virado o Super-Homem."

A RIQUEZA É UM ESPORTE COLETIVO

Você provavelmente já descobriu o problema nesse elegante plano de priorização: fazer apenas as tarefas A tem efeitos colaterais.

Não demorou muito para os pequenos Bs e Cs começarem a se acumular. Minha casa ficou um desastre, pois eu tinha desistido de tarefas C, como trabalho doméstico. A empresa crescia, mas as finanças pessoais estavam caóticas porque deixei de pagar minhas contas. Não por falta de dinheiro, mas porque pagar contas não era uma tarefa A. Definitivamente não foi o melhor uso do meu tempo.

Tudo parecia ótimo até minha luz ser cortada, a fatura atrasada do cartão de crédito chegar, o escritório virar uma bagunça e os computadores quebrarem porque eu não os consertava mais, diminuindo o ritmo do trabalho no escritório.

Nesse momento percebi que precisava alavancar mais do que o meu tempo. Eu tinha chegado ao limite do quanto podia alavancar sozinho. Eu precisava de ajuda.

Primeiro contratei um contador, depois um secretário. Comecei a me cercar de pessoas para cuidar das tarefas que não faziam o melhor uso do meu tempo. Reuni uma equipe e aprendi outra forma de alavancagem: o valor de multiplicar por meio de *outras pessoas* além de mim.

Se você prestar atenção nos milionários pelos próprios méritos, não vai encontrar muitos que construíram riqueza sem ajuda. Isso é extremamente raro. A tecnologia nos deu ferramentas incríveis para alavancagem que não existiam há algumas décadas, mas, na maioria das vezes, *a criação significativa de riqueza é um esporte coletivo.*

Os multimilionários têm consciência de que é extremamente difícil gerar milhões de dólares sozinhos. Eles sabem que precisam formar uma equipe.

Não se engane nem saia correndo para colocar mais gente na folha de pagamento. Isso pode ser bom para você, mas nem todos seguem o mesmo caminho para a riqueza.

A sua equipe pode ter várias formas. É possível contratar empreiteiros e consultores para realizar tarefas específicas. Um pequeno empresário pode contratar vendedores ou fornecedores de determinados produtos ou materiais mediante comissão. Também é possível ter um secretário virtual para agendar viagens e compromissos. Um investidor em imóveis pode ter uma rede de prestadores de serviço confiáveis para fazer reformas em uma propriedade que será alugada.

Não é preciso formar um exército de empregados para aumentar a alavancagem, mas é preciso construir uma equipe se você quiser aumentar a riqueza.

POR QUE A ALAVANCAGEM É IMPORTANTE

A pessoa comum pensa que o *trabalho* é o caminho mais importante para a riqueza.

Ela está parcialmente certa: o trabalho é crucial. Nenhum milionário pensa que você deve apenas ficar sentado esperando a riqueza. Se você escolheu a riqueza, também optou por dedicar tempo e energia (o que chamamos de "trabalho") para transformar essa escolha em realidade.

Mas esta é a diferença crucial: *o trabalho é menos importante que a alavancagem.*

Como poderia ser de outra forma? Afinal, a *maioria* das pessoas passa décadas trabalhando. Em geral, os adultos passam a maior parte da vida em alguma variação de quarenta horas semanais, mas apenas uma fração deles fica milionária. Se o trabalho fosse a estratégia mais importante para a riqueza, *todos* nós seríamos ricos.

Mas não somos. Longe disso. A imensa maioria está sem dinheiro ou, na melhor das hipóteses, tem uma vida financeira *razoável.*

Deve haver outro fator. Esse fator é a alavancagem.

Como você usa seu tempo, dinheiro, energia e talentos é o que determina a riqueza.

Vale a pena repetir: *Como você usa seu tempo, dinheiro, energia e talentos é o que determina a riqueza.*

Não é o trabalho.

Todo mundo trabalha. A diferença está na alavancagem. A forma como você usa o tempo, o dinheiro, a disposição e os talentos *multiplica* os seus esforços.

Por exemplo, um corretor de imóveis trabalha vendendo casas ao longo da carreira. Cada venda *soma* algo a sua riqueza. Ele pode construir uma vida assim e jogar dinheiro para o lado a fim de ter uma aposentadoria modesta. Quanto mais clientes ele atrai, mais dinheiro ganha e, ao longo do tempo, poderá vender mais imóveis e trabalhar mais horas para ganhar mais. Em algum ponto, contudo, ele chegará ao máximo que pode conquistar.

Compare com uma pessoa que *compra* imóveis para alugar. Cada propriedade representa um fluxo de renda mensal que exige pouco esforço contínuo. Quem constrói renda com imóveis *multiplica* tempo e dinheiro, sem limite de ganhos.

O mesmo setor de mercado tem perspectivas de riquezas bem diferentes, e o segredo está na alavancagem. Da mesma forma, quem trabalha *para* uma empresa tem poucas oportunidades para fazer alavancagem, enquanto quem abre uma empresa não tem limite para isso.

APRENDIZADO: A MAIOR ALAVANCA DE TODAS

Com frequência me pergunto se aquele caso de herpes-zóster salvou minha vida. Se eu tivesse continuado a trabalhar mais por mais tempo, provavelmente teria morrido cedo ou destruído minha saúde e meus relacionamentos ao longo do caminho.

Quanto mais aprendo sobre alavancagem, mais eu passo a ver tudo por esse prisma, como se tivesse uma visão de raios x que me permitisse ultrapassar o mundo superficial da soma e enxergar o mundo mais profundo da alavancagem e da multiplicação.

Comecei a perceber a existência de uma progressão natural no jeito como a maioria das pessoas aprende a alavancagem e começa a aproveitá-la. Nos negócios, você geralmente começa fazendo todo o trabalho sozinho. À medida que as tarefas aumentam, acaba percebendo que precisa alavancar seu tempo se quiser fazer tudo. Gastar o tempo em tarefas que não geram resultados importantes, como redigir documentos, faz você empacar na soma em vez da multiplicação. Pior ainda: você pode acabar preso na *subtração*.

Quando as tarefas e responsabilidades aumentam, você nota que precisa de ajuda. Contudo, não é possível abandonar as tarefas B e C como eu fiz e esperar que o trem se mantenha nos trilhos. Esse é o momento de adicionar outras pessoas. Você alavanca o tempo delas para fazer mais, e o ideal é que sua equipe consiga fazer tudo *melhor* que você.

À medida que a riqueza começa a crescer, você percebe que o dinheiro também é um recurso a ser alavancado, do mesmo jeito que o tempo e as pessoas. Para ser multiplicado, o dinheiro também precisa trabalhar. Ele precisa estar em movimento.

Os ricos aprenderam isso e sabem que o dinheiro na poupança, no cofrinho ou embaixo do colchão não faz nada. Eles sabem que, para multiplicar a riqueza, precisam colocar tempo, pessoas *e* o dinheiro para trabalhar.

Há um tipo de alavancagem que transcende todas as formas de multiplicação. É o que chamo de "alavanca mestra", e você pode ter acesso a ela *agora*. Não é preciso ter funcionários para trabalhar ou dinheiro para investir. Basta algo que todos nós temos: *capacidade de aprender*.

O aprendizado é o multiplicador mestre. Tudo o que você aprende aplica repetidamente. É como ter um dólar e poder gastá-lo várias vezes. O aprendizado é a galinha dos ovos de ouro da vida: se você cuidar bem, vai continuar a pagar dividendos.

No fim das contas, esse é o verdadeiro valor das manhãs. O período de silêncio e calma em que o mundo dorme e você está no controle é ideal para aprender. É quando você alimenta a galinha dos ovos de ouro e puxa a maior alavanca de todas.

É *nesse momento* que você encontra o seu superpoder.

MILIONÁRIOS DA MANHÃ

Faço exercícios físicos por uma hora em dias alternados e corro todo dia até o escritório. Lá, eu reviso a lista de tarefas que escrevi na noite anterior. Em seguida, defino minhas prioridades e as faço imediatamente. O dia corre de você, então isso garante que as tarefas mais importantes sejam feitas.

— Barbara Corcoran, fundadora do Corcoran Group
e investidora no *Shark Tank*

Capítulo 8

QUINTA LIÇÃO: O EFEITO PICA-PAU

QUANDO TER GARRA E QUANDO DESISTIR

Um pica-pau pode bicar mil árvores vinte vezes e apenas ficar ocupado, sem chegar a lugar algum. Ou pode bicar uma árvore vinte mil vezes e conseguir o jantar.

— Seth Godin, *O melhor do mundo*

Conhecer muitos milionários tem vários benefícios. Alguns são o que se pode imaginar: acesso a uma rede de contatos valiosos, experiência e capital, mas o meu item favorito disparado é o fato de que posso conversar sobre *o que eles fizeram para chegar onde estão*.

    Ser capaz de perguntar a alguém como obteve suas conquistas é um presente extraordinário e uma vantagem real, que se aplica para além da riqueza. Se você conhece um ótimo pai ou mãe, um indivíduo em excelente forma física ou alguém que é um amigo extraordinário, *isso é um presente* que você ainda não abriu. Essa conexão pode ser uma oportunidade para descobrir como eles conseguiram. Se você quiser sucesso em qualquer área da vida, *olhe primeiro ao redor*. As pessoas do seu mundo que conquistaram algo desejado por você são uma ótima fonte de pesquisa. Não perca essa oportunidade.

Quando se trata de riqueza, existe uma pergunta que eu amo fazer aos endinheirados que encontro: *quais são os três fatores que mais o ajudaram a ficar milionário?*

As respostas têm uma diversidade surpreendente. Os milionários disseram frases como:

- "Eu vejo as oportunidades."
- "Sou bom em alavancar os outros."
- "Sou um mago das finanças."
- "Sou um vendedor sensacional."

Quando os encontro em momentos vulneráveis e abertos, eles dão respostas diferentes e mais pessoais:

- "Minha motivação foi ser um modelo de comportamento para meus filhos."
- "Meus pais não tinham dinheiro, e eu morro de medo de ficar pobre."
- "Sou viciado em trabalho."
- "Eu tive sorte, só isso."

Alguns desses motivos são mais positivos e provavelmente mais úteis do que outros. Mas eles parecem uma avaliação sincera do que os próprios milionários acreditam ter sido os principais fatores que os levaram à riqueza.

Existem dois aspectos para entender isso. Em primeiro lugar, você não precisa copiar outra pessoa à risca. Se alguém diz a você que o segredo do sucesso foi o conhecimento em finanças, não significa que se especializar nisso vai melhorar o seu futuro financeiro. O seu caminho é único, suas vantagens são exclusivas, e sua vida é singular. É importante estudar o caminho dos outros, mas vale mais a pena escolher o melhor para você.

A segunda consideração é um pouco mais interessante. Das centenas de respostas que recebi para a minha "pergunta milionária", existe uma que *sempre* aparece: "Eu nunca desisti."

Essa resposta aparece de várias formas. Ouço desde "Eu me mantive fiel àquilo em que acredito" até "Não sabia mais o que fazer, então segui em frente", mas descobri que no cerne de toda história de milionário está uma ideia singular que eu acredito ser a mais importante de todas. Essa ideia é a *persistência*.

O DILEMA DO PICA-PAU

A persistência não é um conceito novo e envolve basicamente a garra de continuar apesar das adversidades. Todos precisam de persistência, de maratonistas a novos pais, mas, quando se trata de construir riqueza, ela tem muito mais nuances do que a maioria percebe.

Toda pessoa rica que conheci precisou se manter fiel a algo e em geral enfrentou momentos extremamente difíceis. Não importa qual caminho para a riqueza você escolheu: se os milionários do mundo estiverem certos, você terá que fazer o mesmo. *A persistência não é opcional.*

Você pode chamar de garra, tenacidade ou o velho "nunca desistir", mas a essência é a mesma: quando a situação fica difícil, é preciso agir. Ou, como disse Churchill: "Se você estiver passando pelo inferno, continue andando."

Esse conselho apresenta dois problemas. Primeiro: *como continuar andando?* Afinal, o motivo pelo qual desistimos de algo geralmente é o fato de ser *difícil*. Se a riqueza fosse algo fácil de conseguir, ninguém desistiria e todos seríamos milionários. O simples conselho "continue" parece meio incompleto, convenhamos.

O segundo problema é que *às vezes é melhor desistir.* Na verdade, embora a persistência seja obrigatória, por ter estudado os milionários do mundo posso dizer que *desistir também é uma opção.* Você não pode gerenciar uma empresa que sempre perde dinheiro e esperar ficar rico, e muito menos obter retorno negativo ou quase nulo sobre um investimento e esperar os milhões se acumularem. Às vezes é preciso desistir.

Isso é o que chamo de *dilema do pica-pau.* Um pica-pau pode bicar o mesmo lugar por várias horas e não encontrar alimento, ou pode conseguir o jantar e viver mais um dia para bicar por aí. A questão para o pica-pau é saber quando continuar na árvore em que está e quando desistir e buscar a próxima.

Em outras palavras, ele deve *desistir* ou duplicar a *garra* e continuar?

Construir riqueza envolve o mesmo processo. Em geral, tudo se resume a saber escolher. A persistência é obrigatória, mas desistir também é. Então, como decidir o que fazer? Como saber se está na hora de trocar de árvore, como o pica-pau?

Vamos começar pelo primeiro problema, ensinando quando usar a garra para lidar com os três maiores motivos pelos quais as pessoas desistem antes da hora: *erros, medo* e *inércia*. Assim, nós vamos saber quando *desistir* e quando seguir em frente para encontrar oportunidades melhores — ou árvores melhores, para manter a analogia.

QUANDO NÃO DESISTIR

Assim como existem infinitas formas de enriquecer, há incontáveis motivos para desistir. Contudo, nem todos os motivos para desistir são *bons*. Muitos deles (talvez a maioria) são ruins. Os motivos errados para desistir entram em três categorias.

Primeiro motivo errado para desistir: erros

Por volta de 2006, minha empresa realmente começou a engrenar. Os imóveis estavam em alta, e eu peguei um embalo incrível. Comecei abrindo um escritório por ano e passei a inaugurar *quatro*. Foi uma loucura. As vendas estavam nas alturas.

Quando você pega um embalo desses, o volume do que precisa ser feito é imenso. É impossível encontrar e contratar pessoas com a rapidez necessária. Você fica em uma busca constante por talentos em todas as áreas e enfrenta uma lista infinita de tarefas a fazer e problemas para resolver. Nesse ritmo, é preciso tomar decisões maiores e mais frequentes com menos informações, em um período de tempo cada vez menor.

E isso quase sempre leva a erros.

No meu caso, os erros foram contratar as pessoas erradas e alugar escritórios maiores do que o necessário. Quando o mercado começou a cair, fiquei empacado com um escritório e uma equipe que não podia mais bancar, além de pessoas que não eram capazes de fazer o trabalho para o qual foram contratadas. Eu tinha ido muito longe e rápido demais. Em pouco tempo precisei fechar dois dos escritórios que tinha acabado de abrir.

Existem muitas histórias sobre "cair rápido demais" no mundo corporativo de hoje. E, embora haja muita verdade nesse sentimento, ele deixa totalmente de lado *o quanto cometer erros pode ser horrível*.

Fechar esses escritórios foi extremamente doloroso para mim, pois precisei quebrar contratos e admitir minhas falhas. Perdi dinheiro e, o pior de tudo, tive que abrir mão de muita gente boa, pessoas que estavam construindo a própria vida por terem conseguido um emprego em minha empresa. Agora eu estava tirando isso delas. Uma pessoa que comete esse tipo de erro e diz não ter sido afetada não tem humanidade ou está mentindo. Em termos bem diretos, errar é *difícil*.

Em retrospecto, é claro que posso olhar para essas experiências com gratidão. Elas *realmente* me ensinaram lições importantes sobre fazer negócios com as pessoas certas e saber como encerrar uma empresa, mas na época elas doeram o suficiente para me fazer questionar minhas atitudes.

Esse é o perigo dos erros. Cada um deles carrega não só a dor do erro em si como o risco de não aprender com ele ou desistir quando não deveria. Se você desistir por causa de um erro, não só perde o aprendizado como não ganha com aquela experiência no futuro. Ao desistir, você simplesmente... para.

Não há como evitar todos os erros, mas eu descobri que, quando os erros acontecem (e eles vão acontecer), posso usar *O milagre da manhã* para revisitar a experiência a partir de um lugar de calma e com outra perspectiva. Nesse momento, posso refletir melhor sobre a situação e aprender com ela.

Em geral, o processo assume a forma de perguntas, uma espécie de "autópsia" do erro, na qual analiso a experiência durante a parte da escrita da minha rotina matinal:

- Esse erro significa que não amo isso?
- Esse erro significa que não sou bom nisso?
- Esse erro significa que minha empresa ou plano está errado?
- O que posso aprender com esse erro?
- Como posso evitar que as mesmas circunstâncias se repitam no futuro?
- Se a mesma situação se repetir, como posso reconhecê-la?
- O que posso fazer para não repetir essa mesma decisão?

Após responder a algumas dessas perguntas, em geral eu chego à percepção mais importante sobre os erros: *eles não representam falhas fatais*. Os erros são lições. Não são motivos para desistir, e sim para *melhorar*. Eles vão transformar você na pessoa que realmente é. Além disso, jamais conheci um milionário que não tivesse cometido vários erros pelo caminho.

Segundo motivo errado para desistir: medo

Dizem que a mente é ótima aluna e péssima professora.

Quando você comanda sua mente, pode obter conquistas incríveis. Quando o inverso acontece, você se entrega às preocupações, ansiedades e ao medo, que podem matar o crescimento.

Tudo isso tem consequências reais para a construção da riqueza. Há muito tempo, quando eu estava com dificuldades no trabalho, um amigo me disse: "Sabe, você fica no 'preparar, apontar'... 'Preparar, apontar'... 'Preparar, apontar' e nunca chega ao 'fogo'."

Ele tinha razão. Eu costumava ter paralisia da análise, sofrendo com ações, decisões, e tinha medo de errar (parece familiar?), ser rejeitado ou fracassar. A franqueza dele me ajudou a ver que precisava me libertar desse medo para crescer.

Descobri que a solução é *agir de imediato e fazer o que mais tememos*.

Por exemplo, se a tarefa importante de hoje for difícil ou assustadora como, digamos, uma ligação de vendas para um completo desconhecido ou lidar com um cliente nervoso devido a um erro cometido por você, o único jeito que encontrei para não ficar paralisado de medo foi *agir* o mais rápido possível. Quando você começa a pensar, vira um servo da mente e depois é quase impossível sair dessa situação. Não pense, *aja*.

Quando você se perguntar: "Qual é o melhor meio de expandir minha empresa?", e a resposta for "Ligar para aquele grande cliente em potencial", *aja*. Faça isso. Não pense: sinta a ansiedade e aja mesmo assim.

Você está desenvolvendo a capacidade de agir frente ao medo e à incerteza. Acredite, isso *é* uma habilidade, e *O milagre da manhã* é o momento perfeito para trabalhar nela. Se você começar a manhã tranquilo, do seu jeito, no seu ritmo e com total controle, é praticamente garantido que o medo e a ansiedade serão reduzidos. Nesse momento, não pense naquela voz ansiosa ou assustada em sua cabeça como a dona da verdade, e sim como um vizinho chato que fica invadindo o seu jardim mental. Esse vizinho costumava me distrair e me fazer pensar em desistir. Agora, a cada dez vezes, nove eu o ignoro.

Não confunda medo e ansiedade com o valor do que você está fazendo para construir a riqueza. Sentir medo não significa que você está no caminho errado. A ansiedade não significa que sua empresa vai fracassar ou que você vai à falência. Às vezes, o medo e a ansiedade são os sinais para seguir em frente, não para desistir.

Terceiro motivo errado para desistir: inércia

Quem age mais diante do medo, mesmo se estiver parcialmente errado, sempre vai superar quem nunca segue em frente. A pessoa que não age quase sempre vai desistir por um motivo crucial: ela não pegou o embalo.

Quando você fizer as tarefas grandes, importantes e assustadoras, começará a ver resultados. Ao longo do tempo, você constrói provas de que as ações ousadas funcionam em termos financeiros e pessoais.

Esse "círculo virtuoso" é o motivo pelo qual pessoas que ganharam e perderam milhões geralmente ficam milionárias de novo. Elas sabem que ações ousadas e com propósito dão resultado. Se cometem um erro, começam de novo sabendo que uma hora vão acertar.

Às vezes, sobretudo para quem está construindo riqueza pela primeira vez, uma série de erros ou a falta de progresso podem iniciar um ciclo negativo. Quanto menos progresso você faz, mais confiança perde e mais se preocupa. Quanto mais você se preocupa, menos age. Quando se dá conta, empacou.

Se você se identificou com isso, saiba que não está sozinho. O embalo e a disposição tendem a subir e descer ao longo da vida. O segredo é minimizar os pontos de baixa e não considerá-los sinais imediatos de que está na hora de desistir.

Eu uso as manhãs como ferramenta para manter o embalo ao fazer o seguinte:

- **Rever objetivos.** Às vezes perdemos o embalo por não saber para onde vamos. Pode parecer simples, mas é muito fácil se desconectar dos seus objetivos sem perceber. Eu uso o ritual matinal para rever objetivos uma vez por semana. Por exemplo, uma das minhas metas é me exercitar 240 vezes por ano. Sem relembrar essas metas e conferir meu progresso, eu quase que na certa me perderia pelo caminho. Além disso, ao fazer esse acompanhamento, lembro o que me inspirou para definir esses objetivos lá no início.
- **Manter a saúde e a disposição física.** É difícil manter o embalo se você não tiver disposição física. Alimente-se bem e se exercite todos os dias. Use a rotina de *O milagre da manhã* para criar embalo. Não caia na armadilha de pensar que acordar um pouco mais cedo vai levá-lo à exaustão. As manhãs são uma ferramenta para fazer exatamente o oposto! Reveja o capítulo "Segundo princípio nada óbvio dos milionários: engenharia de energia" para conhecer mais formas de aumentar sua energia e retomar o embalo.
- **Gerenciar o ambiente.** A energia não vem de dentro. Nada afeta o seu nível de disposição como as pessoas ao redor. Amigos, mentores, funcionários, sócios, colegas e clientes, todos eles influenciam seu nível de energia e podem aumentar ou diminuir seu embalo. É preciso tratar seus relacionamentos como um jardim, cultivando o que ama

e aparando o que se desvia de sua vida e afeta seu embalo. Caso precise de ajuda, consulte a comunidade de *O milagre da manhã*. É uma ótima fonte de apoio constante, ajuda autêntica e construção real de embalo. Ainda está na dúvida? Abrace quem você ama. Isso é energia pura esperando à sua disposição!

QUANDO DESISTIR

Em 2006, abri uma empresa e perdi um milhão de dólares [cerca de quatro milhões de reais].

A empresa era uma escola de inglês para imigrantes recém-chegados aos Estados Unidos. Achei que era uma ótima ideia, um nicho sem igual no mercado, e me empolguei.

Contudo, houve alguns problemas. O primeiro foi que, pensando bem, o momento não era bom: foi pouco antes da crise de hipotecas nos Estados Unidos. Não importa o quanto a empresa estivesse bem, muito provavelmente eu enfrentaria problemas mais adiante porque a economia estava prestes a afundar.

O problema mais imediato e relevante foi ter escolhido a pessoa errada para gerenciar a empresa. Embora eu tivesse aprendido após o herpes-zóster que não podia fazer tudo sozinho, ainda não tinha dominado o processo de contratar as pessoas certas para determinados cargos. Nesse caso, eu errei ao não controlar bem esse funcionário. Consequentemente, a empresa acabou indo ladeira abaixo.

Quando me dei conta, tivemos que fechar e um milhão de dólares desceu pelo ralo.

Nesse caso, havia também uma questão mais profunda. O maior erro que cometi não foi analisar incorretamente o momento do mercado ou contratar a pessoa errada. Foi *não saber a hora de desistir*.

Estávamos muito concentrados em *não* desistir, persistir e manter o plano para construir riqueza, mas a verdade é que as pessoas desistem o tempo todo como passo necessário para a riqueza. É improvável que você dê seguimento a todas as suas empreitadas ou que todos os planos funcionem. Às vezes é preciso conter as perdas.

No meu caso, eu tive uma chance de sair do negócio de escola de idiomas. Após 350 mil dólares [cerca de 1,5 milhão de reais] em perdas, a situação chegou a um ponto em que teria sido "relativamente" fácil desistir. Em vez de fazer isso, eu dobrei a aposta, segui em frente e investi outros 650 mil [cerca de 2,5 milhões de reais]. Poucos meses depois, estava bem claro que não ia dar certo e eu desisti.

Perdi o dinheiro e aprendi uma lição dolorosa.

Ou pelo menos eu *esperava* ter aprendido a lição. Pensei muito naquela perda e em outras que ocorreram nos anos seguintes, tentando descobrir por que eu não desisti antes e como poderia aprender a "desistir melhor".

UM ALGORITMO PARA DESISTIR

Em *Nasci para isso: como encontrar o trabalho da sua vida*, o escritor Chris Guillebeau usa duas perguntas simples para avaliar a hora de desistir. É uma ferramenta simples, mas poderosa para ajudar a decidir quando encerrar projetos difíceis e maiores como empresas, relacionamentos e empregos.

As duas perguntas são:

1. Está dando certo?
2. Você ainda gosta disso?

1. Está dando certo?

Para nosso contexto, a pergunta "está dando certo" se aplica no âmbito financeiro. Afinal, este é um livro sobre riqueza. Se a direção para a qual você está indo não vai ajudá-lo a ficar milionário, então é hora de desistir.

O caminho no qual está agora vai fornecer a riqueza que você quer no tempo desejado? *Essa* é a pergunta que precisa ser feita. Se a resposta for não, é hora de mudar ou desistir de vez.

Mas que opção você escolhe?
Para descobrir, é preciso fazer a segunda pergunta.

2. Você ainda gosta disso?

Nem tudo na vida é dinheiro. Ouça as palavras de alguém que passou boa parte da vida criando riqueza: *o dinheiro não pode ser tudo para você*.

E, pelas discussões anteriores no capítulo "Segunda lição: você, milionário", também não há um jeito fácil de separar finanças de emoções; fazer algo que você odeie não é a receita para virar um milionário de sucesso. É aí que precisamos trazer algo novo para a equação: o seu prazer durante o processo.

Você ainda gosta do trabalho, da empresa, do projeto paralelo, do processo de investimento? Seja lá o que esteja fazendo para construir riqueza: *você está gostando?*

Se colocarmos as respostas para essas duas perguntas em um fluxograma, ele ficará assim:

É muito revelador. É importante notar que *existe apenas uma circunstância em que você deve desistir*: quando algo não está dando certo e você não gosta mais daquilo. Do contrário, é preciso seguir o plano e duplicar a garra ou mudar algo.

Vamos voltar ao exemplo dos imóveis para alugar. Se você estiver perdendo dinheiro, *não está dando certo*, mas, antes de fazer algo, pergunte a si mesmo: *ainda gosto disso?*

Se a resposta for não, pode ser hora de repensar. Contudo, se você gosta de ser dono de imóveis, existem outras opções para serem analisadas antes de desistir. Você consegue renegociar a hipoteca ou financiamento para cortar custos, aumentar os aluguéis, reformar para aumentar o valor ou aumentar o número de inquilinos?

O mesmo vale para uma empresa. Um empreendimento que perde dinheiro a curto prazo pode ser ressuscitado. Faça as seguintes perguntas: "Qual o melhor resultado possível? Qual é o resultado mais provável? Qual é o pior resultado possível?" Você não quer desistir de algo que ama e pode ser consertado, mas e se você não gostar de algo ou não houver mais conserto?

Então é hora de fazer o que milionários inteligentes fazem e *desistir*.

Lembre-se, no entanto, que, assim como é possível desistir pelos motivos errados, você pode seguir em frente pelos motivos errados. A tenacidade também pode agir contra você. Aqui estão os dois motivos mais comuns para não desistir quando deveríamos:

A *falácia do custo irrecuperável*. Você se lembra dela? O cérebro humano é programado para não gostar de perdas. Na verdade, detestamos perder mais do que gostamos de ganhar. Isso faz a pessoa se apegar ao que já tem (como uma empresa ou um investimento deficitário), levando-a a despejar recursos no que não deveria, ou seja, a continuar quando seria melhor desistir. Lembre-se: os custos irrecuperáveis já foram totalmente perdidos. Não é possível reaver esse dinheiro gastando mais.

O *medo*. Assim como o medo pode nos levar a desistir de algo em que deveríamos continuar, o contrário também é verdadeiro. O medo da vergonha ou do fracasso pode nos obrigar a manter projetos por muito mais tempo do que deveríamos. Não há nada errado com o medo: o objetivo é tentar identificar quando ele o impede de tomar a melhor decisão ou agir da melhor forma.

A TENSÃO ENTRE PERSISTIR E DESISTIR

O objetivo não é "nunca desistir", como o mundo pode ter feito você acreditar, nem "sempre conter as perdas". A solução tem mais nuances e envolve um equilíbrio entre a persistência e a desistência enquanto você progride, uma espécie de tensão entre "persistir e desistir" que é preciso manter para realizar seus planos.

Persistir ou desistir, eis a questão. É aí que *O milagre da manhã* brilha.

Fica difícil tomar uma decisão séria em relação a continuar seu plano quando se está enterrado no caos de um dia cheio. Você nem vai conseguir pensar na escolha ou tomar uma decisão clara e ponderada.

O milagre da manhã é a oportunidade perfeita para encontrar o estado mental necessário a fim de resolver essa questão. É o horário do dia em que você pode olhar o panorama geral e tomar uma decisão levando em conta o que realmente importa.

A persistência é obrigatória para construir riqueza. Você terá que seguir seu plano enquanto enfrenta obstáculos assustadores e momentos difíceis.

Mas às vezes desistir também é obrigatório. Existem momentos em que será preciso conter as perdas.

Se você quiser ficar milionário, precisa saber quando persistir e quando desistir

MILIONÁRIOS DA MANHÃ

Jack Dorsey, CEO do Twitter e do Square, acorda às cinco da manhã para meditar por meia hora e fazer exercícios físicos antes de ir ao seu café favorito.

"Acordo às cinco, medito por trinta minutos, faço sete minutos de exercícios físicos três vezes por dia, depois tomo café e vou para o trabalho. Geralmente durmo das 23h às cinco da manhã. Ter blackout nas janelas ajuda. Meditação e exercícios físicos!"

Capítulo 9

SEXTA LIÇÃO: ONDE ESTÁ O DINHEIRO

ENTENDA O QUE O DINHEIRO REALMENTE MEDE

"Se nós comandarmos a riqueza, seremos ricos e livres. Se a riqueza nos comandar, seremos realmente pobres."

— Edmund Burke

Onde está o dinheiro.

Pode ser isso que você está pensando agora. E com razão, pois conseguimos escrever oito capítulos de um livro sobre ficar milionário sem falar muito em dinheiro.

Existe um bom motivo para isso. Embora o dinheiro seja tecnicamente a medida absoluta para dizer se você alcançou o objetivo de ficar milionário, ele é apenas isso: uma medida. É um parâmetro. O dinheiro é um jeito de marcar pontos, mas geralmente o placar não explica como foi o jogo.

Estamos discutindo os fatores mais cruciais para garantir que você *tenha* algo a medir, isto é, os pontos para colocar no placar. Estas são as lições essenciais para a construção de riqueza:

- *Escolher* ativamente acumular riqueza
- Definir uma *visão* para a vida que vai inspirá-lo a agir todo dia
- Criar um *plano de voo* para guiar seus esforços
- Aprender a multiplicar seu tempo e energia com o poder da *alavancagem*
- Desenvolver a habilidade para saber quando se *persistir* e quando *desistir*

Poucos milionários não se capacitaram em todas essas áreas. Cada uma delas é crucial e tem seu papel no caminho para a riqueza.

No entanto, também não existem milionários sem *dinheiro*. Tendo isso em mente, é hora de começar a falar de você e do seu dinheiro. Neste capítulo, vamos analisar cinco conceitos específicos relacionados a dinheiro que todo aspirante a milionário precisa entender e seguir.

PRIMEIRO PRINCÍPIO: A RIQUEZA COMEÇA PELAS FINANÇAS PESSOAIS

É fácil pensar nos milionários em termos de estilo de vida grandioso, grandes empresas, portfólio de ações ou altos cargos ocupados por executivos ambiciosos. A verdade, porém, começa com algo bem mais humilde e que todos nós podemos controlar: as finanças pessoais.

Isso pode parecer estranho, afinal você não vai encontrar um milhão de dólares embaixo das almofadas do sofá ou naquela poupança há muito esquecida. Mas as suas finanças pessoais *atuais* são importantíssimas, porque representam seus hábitos e atitudes em relação ao dinheiro.

Por exemplo, é fácil pensar que um milhão de dólares vai deixar tudo muito melhor, mas não é tão simples. O progresso vai depender das suas atitudes. Se você gasta 110% do que ganha agora, será capaz de gastar 110% de alguns milhões também. Acredite em mim, é mais fácil do que você imagina.

Em resumo, *se você não conseguir gerenciar o que tem, jamais conseguirá ganhar ou manter mais*. É preciso fazer os ajustes necessários em seu estilo de vida para viver com menos do que sua renda atual.

O que fazer com o que sobrar? *Deixe de lado*. Ter um valor excedente significa ter opções. Você pode investir e tomar decisões melhores sobre o emprego e os negócios, além de trabalhar com a mente mais clara. Se houver um déficit em suas finanças pessoais, os ajustes vão ficar mais difíceis, e, como você já sabe, a mudança é necessária.

Esse não é um discurso do tipo "economize para o futuro", como seus pais podem ter lhe ensinado. Trata-se de aprender a gerenciar o que você tem *agora* de modo eficaz para não levar maus hábitos para o futuro, tendo o espaço mental necessário para tomar decisões que milionários tomam em vez de decidir como uma pessoa comum.

Recomendo que você comece pegando 10% de tudo o que tiver no banco agora e coloque em uma poupança separada. Faça essa transferência ser automática e não mexa nessa conta. Quanto maior for essa reserva, mais opções você terá.

Lembre-se também de que a maioria das pessoas ricas doa uma porcentagem da renda para causas em que acredita, mas não é preciso esperar até ficar rico para começar essa prática. Segundo Tony Robbins: "Se você não doar um dólar a cada dez que ganhar, nunca doará um milhão a cada dez milhões." Caso não consiga reservar 10% sem deixar de pagar o aluguel, comece com cinco, dois ou um simples um por cento. Não é a quantia que importa, e sim desenvolver a mentalidade e criar um hábito capaz de mudar o seu futuro financeiro e de servir a você pelo resto da vida.

É preciso ensinar o subconsciente que ele pode produzir renda abundante, além de acreditar que existe mais do que o suficiente e sempre haverá mais no futuro.

Se você não conseguir administrar o que tem, não conseguirá administrar um valor maior com eficácia.

SEGUNDO PRINCÍPIO: O DINHEIRO TEM VELOCIDADE

Recordando o Capítulo 7, "Como se tornar super", no qual vimos a diferença fundamental entre a matemática dos milionários e a matemática do resto do mundo: embora a maioria trabalhe em termos de soma, os ricos gostam da *multiplicação*. Nesse capítulo, aprendemos a multiplicar alavancando seu tempo por meio de prioridades e dos esforços de outras pessoas.

Mas o dinheiro também precisa se multiplicar. Gosto de pensar que o dinheiro tem *velocidade*. Quando ele está na poupança, sua velocidade é baixa, pois leva anos para crescer. É um *dinheiro lento*.

Quando você investe em uma empresa, em imóveis ou encontra outras formas de colocar o dinheiro para trabalhar e obter mais retorno, o dinheiro começa a ganhar velocidade, consequentemente aumentando a sua riqueza.

O dinheiro precisa ser colocado para trabalhar. Se você quiser ficar milionário, terá que aprender a alavancar seu dinheiro.

> *Quanto maior a velocidade do seu dinheiro, mais rápido você ficará milionário.*

TERCEIRO PRINCÍPIO: COMPREENSÃO DE RISCOS

Em geral, quanto maior a velocidade do dinheiro, maior o risco. Pense em seu dinheiro como um carro. Em baixa velocidade, digamos, o limite permitido no qual todo mundo dirige, é relativamente fácil administrar e controlar quase tudo. O risco de acidente é baixo.

Quanto mais você aumenta a velocidade, maior será o risco. Se você fizer curvas fechadas no dobro da velocidade permitida, o risco aumenta dramaticamente. Você chegará ao destino mais rápido, porém assumindo mais riscos pelo caminho.

Com o dinheiro acontece o mesmo. Quanto mais rápido ele for, maior será o risco. Quanto maior o risco, mais rápido você pode ficar rico, porém maior será a chance de se acidentar pelo caminho.

O dinheiro na poupança praticamente não corre riscos, mas a taxa de juros é tão baixa que a velocidade é *negativa*: ele cresce mais devagar que a economia. Esse é o preço que se paga por ter dinheiro seguro e líquido.

Um capitalista de risco bem-sucedido, por outro lado, tem alto risco de fracassar em um empreendimento, mas, quando tem sucesso, pode multiplicar o dinheiro cem vezes ou mais. O risco é maior, e o potencial de retorno também.

Não há resposta certa para a quantidade de risco a assumir, pois a tolerância ao risco varia de acordo com a pessoa. O importante é saber que há uma relação entre risco e retorno e que não existe um caminho rápido e sem riscos para a riqueza.

A construção de riqueza exige compreensão e tolerância aos riscos.

QUARTO PRINCÍPIO: MÚLTIPLOS FLUXOS DE RENDA

Um jeito de atuar nas duas frentes, aumentando a velocidade do dinheiro e gerenciando o risco ao mesmo tempo, é ter múltiplos fluxos de renda.

Até os milionários de sucesso com uma só empresa costumam diversificar para ter mais de um fluxo de renda. A concessionária vende carros e também oferece serviços de reparo e manutenção, programas de aluguel corporativo e financiamento de veículos. O restaurante abre para almoço e jantar, faz serviço de bufê e oferece versões congeladas de seus pratos mais populares para serem preparados em casa.

Parte do motivo para isso consiste em aumentar a quantidade de produtos que podem ser vendidos aos clientes, mas essa também é uma forma de reduzir riscos, testando a lucratividade em novos mercados. Os múltiplos fluxos de renda aumentam a riqueza e diminuem o risco ao não apostar todas as fichas em um só meio de ganhar dinheiro.

Aos 25 anos, Hal começou a planejar sua estratégia para sair de uma carreira lucrativa e bem-sucedida como vendedor e buscar o sonho de virar empreendedor em tempo integral. Enquanto ainda trabalhava com vendas, ele abriu sua primeira empresa e conseguiu o primeiro fluxo de renda adicional oferecendo *coaching* em vendas para vendedores e empresas.

A cada ano, usando a mesma fórmula passo a passo destacada anteriormente neste livro, Hal acrescentou nove fontes de renda adicionais e significativas, como programas em grupo, *coaching* particular, escrever livros, ministrar palestras, participar de eventos pagos, fazer podcasts, publicar livros em outros países, trabalhar com franquias, publicar a série de livros *O milagre da manhã*, além de receitas derivadas e da organização de eventos presenciais para mais de trezentas pessoas.

Seus fluxos de renda adicionais podem ser ativos, passivos ou uma combinação dos dois. Alguns podem pagá-lo para fazer trabalhos que você ama (ativos), enquanto outros podem fornecer renda sem muito esforço da sua parte (passivos). É possível diversificar os fluxos de renda entre indústrias diferentes para se proteger de grandes perdas durante retrações em um mercado e permitir que você se beneficie de expansões em outro.

Embora a abordagem de Hal para criar múltiplos fluxos de renda seja apenas uma entre incontáveis opções (você pode comprar imóveis, alavancar o mercado de ações, abrir lojas físicas etc.), os passos a seguir oferecem um processo prático e direto para começar a desenvolver seus fluxos de renda.

O importante é que você transforme a diversificação de fontes de renda em prioridade. Reserve em sua agenda intervalos de tempo de uma hora por dia, uma vez por semana ou algumas horas todo sábado para estabelecer fontes de renda adicionais que forneçam ganhos mensais extras, a fim de obter segurança financeira no presente e liberdade financeira no futuro mais próximo possível.

Estas são as etapas que Hal colocou em prática repetidas vezes e que você pode aplicar ou modificar de acordo com a situação.

a. Esclarecer seu valor singular

Todo mundo neste planeta tem dons, habilidades, experiências e um valor singular a oferecer, capazes de adicionar valor a outras pessoas e de serem altamente compensados. Descubra o conhecimento, experiência, habilidade ou solução que você tem ou pode criar e os outros encontrarão valor e ficarão felizes em lhe pagar por isso.

Lembre-se: o que pode ser conhecimento comum para você não é para as outras pessoas. Aqui estão algumas formas de aumentar seu valor no mercado.

Quem você é sempre será um diferencial em relação aos outros seres humanos na Terra. Muitas pessoas vão se identificar mais com a sua personalidade do que com a de outra pessoa oferecendo um valor similar ou até igual ao seu.

O conhecimento é um fator que você pode aperfeiçoar relativamente rápido. Como Tony Robbins escreveu em *Dinheiro: Domine esse jogo*: "Um motivo pelo qual as pessoas têm sucesso é ter conhecimento que outros não têm. Você paga um advogado ou médico pelo conhecimento e habilidades que lhe faltam." Melhorar o conhecimento em uma área específica é uma forma eficaz de aumentar o valor que os outros vão pagar a você para ensinar o que sabe ou aplicar seu conhecimento no lugar deles.

A embalagem é a forma de diferenciar seu valor. Quando Hal escreveu *O milagre da manhã*, ele reconhecidamente precisou superar a insegurança em relação ao fato de não ter exatamente inventado a ideia de acordar cedo. Ele até questionou se haveria mercado para o livro, mas, como afirmaram centenas de milhares de leitores, a principal razão do impacto da obra foi a *embalagem* das informações. Eram simples e ofereciam um processo passo a passo que permitia melhorar significativamente qualquer área da vida apenas mudando a forma de começar o dia.

b. Identificar o público-alvo

Estabeleça quem você está mais qualificado para servir. Graças ao seu histórico como vendedor bem-sucedido, Hal determinou que estava mais qualificado para servir outros colegas vendedores, por isso lançou seu primeiro programa de *coaching*. Agora ele se dirige a uma audiência bem maior no mundo todo, graças à série de livros *O milagre da manhã* e aos eventos presenciais Best Year Ever. Além disso, ele é *coach* de autores iniciantes e estabelecidos que desejam criar fluxos de renda com sete dígitos por meio dos livros e estratégias de *back-end*.

Com base no valor que você pode adicionar a outras pessoas ou nos problemas que pode ajudar a resolver, quem vai pagar pelo que você pode adicionar a elas, pela solução fornecida ou pelos resultados que pode ajudá-las a obter?

c. Construir uma comunidade autossustentável

Um ponto crucial na vida financeira de Hal foi quando ele ouviu o multimilionário Dan Kennedy (o qual construiu sua fortuna do zero) explicar por que um dos bens mais valiosos para se ter como empreendedor é a sua lista de e-mails. Na época, a lista de e-mails de Hal não ia além de sua família e amigos. Quando ele entendeu o potencial dos contatos, transformou o aumento da lista em prioridade. Dez anos depois, além de ouvir o conselho de Dan e expandir a lista de e-mails para mais de cem mil assinantes fiéis, ele lançou e expandiu uma das comunidades on-line mais engajadas do mundo.

A comunidade de *O milagre da manhã* no Facebook virou um estudo de caso. Atualmente, ela tem mais de cem mil integrantes de mais de setenta países e aumenta a cada dia.

d. Criar uma solução

Quando os integrantes de sua comunidade falarem do que precisam, é a oportunidade de ouro para trabalhar e criar o que pode ser um produto físico, digital (livro, áudio, vídeo, programa de treinamento por escrito ou software) ou um serviço (cuidar de cachorros, de crianças, *coaching*, consultoria, palestras ou treinamento).

e. Planejar o lançamento

Pense em como a Apple divulga seus produtos. A empresa não coloca simplesmente um produto nas lojas ou no site. Nada disso. Ela transforma o lançamento em um evento. A Apple cria expectativa com meses de antecedência, tanto que as pessoas se dispõem a acampar na frente das lojas por várias semanas para serem as primeiras da fila. Faça isso. Para saber como, leia o livro definitivo sobre o assunto, *Launch*, de Jeff Walker.

f. Encontrar um mentor

Dependendo do seu nível de experiência, este pode ser o primeiro passo. Como você já sabe, um dos métodos mais eficazes para minimizar a curva de aprendizado e expandir a velocidade para conseguir o resultado desejado é encontrar alguém que já obteve esse resultado e seguir a estratégia dessa pessoa. Em vez de tentar descobrir tudo sozinho, encontre quem já conquistou o que você deseja, determine como essa pessoa fez isso, inspire-se nesse comportamento e modifique-o de acordo com sua necessidade.

Embora seja possível buscar um relacionamento cara a cara ou virtual com um mentor, você também pode participar de eventos do tipo *mastermind* e/ou contratar um *coach*. Até ler um livro como este é utilizar a sabedoria de um mentor.

Ter múltiplos fluxos de renda aumenta a riqueza e reduz o risco.

CONSTRUÇÃO DE RIQUEZA COM IMÓVEIS

Embora Hal gere boa parte de sua riqueza graças à marca relacionada a *O milagre da manhã* e seus produtos e serviços associados, eu construí a vasta maioria da minha com imóveis.

Existem infinitas maneiras de criar valor, ganhar dinheiro e construir riqueza, mas os imóveis merecem uma atenção especial. Eles são o motor principal da minha empresa, mas o melhor a respeito dos imóveis é que eles podem criar a riqueza de *quase todo mundo*. Veja os motivos:

1. **Sucesso comprovado:** existem mais pessoas que ficaram milionárias com imóveis do que de qualquer outra forma. Adquirir imóveis é um jeito comprovado e eficaz de construir riqueza e, diferentemente de alguns negócios, baseia-se em um bem real com valor também real.
2. **Baixo limite para entrada.** Não se deixe enganar pelos magnatas dos imóveis e grandes torres de condomínios. Uma das características mais atraentes de um imóvel é que, ao contrário do que se pode imaginar, não é preciso ser rico para começar. Algumas empresas exigem milhões para começar. Com imóveis, você pode começar com o que já tem.
3. **Retorno de curto e longo prazo.** Eu adoro o fato de os imóveis poderem dar retorno a longo prazo como renda de aluguéis, mas a longo prazo você também pode se beneficiar do aumento no valor do imóvel à medida que os mercados crescem.
4. **Renda passiva.** Administrar uma empresa pode ser exaustivo. Embora seja recompensador, empreender é uma forma *ativa* de gerar renda. Os imóveis, contudo, podem ser altamente passivos. Você não imagina o quanto é satisfatório ver *outra* pessoa pagando sua hipoteca enquanto você cuida de outros assuntos.
5. **Não há limite de idade nem de habilidade.** Os imóveis são o grande equalizador. Não importa se você é jovem ou velho, empreendedor ou funcionário em tempo integral. Ainda na faculdade? Você pode alu-

gar quartos para seus colegas estudantes. Aposentou-se? Ótimo, pois você pode administrar suas propriedades e obter ainda mais lucros.

Existe um motivo pelo qual tanta gente escolheu os imóveis para chegar à riqueza. É um investimento acessível, funciona e não exige habilidades especiais. Se você precisa de inspiração, experimente meu livro *Wealth Can't Wait*, ou *Independência financeira: O guia do pai rico*, de Robert Kiyosaki.

Não se intimide com os imóveis. Comece com pouco e, ao longo do tempo, você vai se surpreender com o portfólio que poderá criar!

O QUE O DINHEIRO REALMENTE MEDE

O papel do dinheiro para ser milionário configura uma espécie de paradoxo. O dinheiro importa e, ao mesmo tempo, de um jeito estranho, não importa tanto assim. É preciso ser pelo menos um pouco obcecado por dinheiro para ficar milionário, mas a natureza do jogo não é essa. O dinheiro ainda é apenas o placar.

E o que exatamente o placar está medindo?

A resposta óbvia são dólares, reais, euros, libras esterlinas, pesos, ienes ou qualquer moeda que você esteja usando como parâmetro.

Porém, embora ele forneça uma definição técnica de riqueza, não é muito útil no processo de *ganhar* o dinheiro necessário para ficar milionário.

Para isso, precisamos enxergar o dinheiro de outra forma e fazer perguntas diferentes. Em vez de perguntar: "Quanto dinheiro eu tenho?" ou "Quanto eu posso conseguir?", existe um conjunto melhor de perguntas para levar ao cerne do *que o dinheiro realmente está medindo*.

Para mim, o dinheiro sempre mediu o *quanto estou melhorando*. Para isso, as melhores perguntas a serem feitas não dizem respeito a quanto, com que rapidez ou facilidade estou ganhando dinheiro. Elas são mais do tipo:

- O quanto aprendi e usei bem as lições para chegar à riqueza?
- Como minha habilidade como empreendedor aumentou?

- Quanto valor eu trago ao mundo?
- Como posso trazer ainda mais?
- Como posso *me aperfeiçoar*?

À medida que as respostas a essas perguntas mudam, a minha renda também muda. Quando cresço, minha riqueza também cresce.

Então, por onde começar? Fazendo as mesmas perguntas. Pergunte o valor que você pode trazer ao mundo, o que precisa aprender, fazer e no que precisa se transformar para construir riqueza. Em vez de perguntar quando o mundo vai lhe mostrar o dinheiro, pergunte-se o que o dinheiro lhe mostrou.

E, se ainda não estiver absurdamente claro, não há melhor momento para fazer as grandes perguntas do que o primeiro horário da manhã.

Basta começar. Daqui a dois anos, você vai desejar ter começado hoje.

Não deseje, não espere.

Comece agora.

MILIONÁRIOS DA MANHÃ

Quando era um jovem advogado, Charlie provavelmente ganhava uns vinte dólares [cerca de 75 reais] por hora. Ele pensou: "Quem é o meu cliente mais valioso?" E decidiu que era ele mesmo. Por isso, resolveu vender uma hora para si mesmo todos os dias. Ele fazia isso de manhã bem cedo, trabalhando em projetos de construção e fazendo negócios com imóveis. Todos deveriam fazer isso: ser o próprio cliente e vender uma hora para si mesmo todos os dias, além de trabalhar para outras pessoas.

— Trecho de A bola de neve: *Warren Buffett e o negócio da vida,* de Alice Schroeder

PARTE III:

TRÊS PRÁTICAS DE CRESCIMENTO PESSOAL PARA ACELERAR SEU CAMINHO RUMO À RIQUEZA

OS PRINCÍPIOS NADA ÓBVIOS DOS MILIONÁRIOS

Capítulo 10

PRIMEIRO PRINCÍPIO NADA ÓBVIO DOS MILIONÁRIOS

LIDERANÇA PESSOAL

Seu nível de sucesso não vai exceder seu nível de desenvolvimento pessoal [...] porque o sucesso é algo que você atrai pela pessoa em que se transforma.

— Jim Rohn

Pergunte a cem pessoas na rua o que você precisa ter para ser milionário e a resposta mais comum será *mais dinheiro*. Faça a mesma pergunta a uma sala cheia de crianças de 10 anos e você provavelmente vai ouvir respostas parecidas. E, embora essa resposta em tese seja verdadeira, não é tão útil assim, porque a maioria das pessoas acredita que o único jeito de obter mais dinheiro é *trabalhando mais*.

O trabalho é importante, mas a sociedade nos condicionou a pensar que o *único* jeito de ter mais é fazendo mais.

- Quer mais dinheiro? Trabalhe *mais*. Acumule *mais* horas.
- Quer mais sexo? Pegue *mais* peso e acumule *mais* repetições na academia.
- Quer mais amor? Faça *mais* pela pessoa amada do que ela faz por você.

Mas e se o verdadeiro segredo para ter mais do que desejamos na vida não for *fazer* mais e sim *se transformar* em mais?

Essa é a filosofia que deu origem e continua sendo a base para O *milagre da manhã*: o seu nível de sucesso *em todas as áreas da vida* sempre será determinado pelo seu nível de *desenvolvimento pessoal*, que envolve fatores como crenças, conhecimentos, inteligência emocional, habilidades, qualificações, fé etc.

Em outras palavras, *se você quiser ter mais, primeiro precisa ser mais*.

O princípio fundamental de O *milagre da manhã* é que a pessoa em quem você está se transformando é muito mais importante do que as suas ações, mas a ironia é que as suas ações de cada dia determinam em quem você está se transformando. Para ser mais, é preciso refletir com cuidado sobre a forma pela qual você está gastando seu tempo e sua energia.

Os milionários, conscientemente ou não, são *líderes pessoais*. Eles aceitam a ideia de que precisam ser mais, e o segredo para esse desenvolvimento está dentro de você. Antes de revelar os princípios essenciais da liderança pessoal, quero compartilhar o que descobri sobre o papel crucial da *mentalidade* como base para a liderança pessoal eficaz e, por sua vez, a criação de riqueza.

SEJA CONSCIENTE (E CÉTICO) EM RELAÇÃO ÀS LIMITAÇÕES QUE VOCÊ SE IMPÕE

Você pode estar se agarrando a falsas crenças limitantes que interferem inconscientemente em sua capacidade de conquistar objetivos pessoais e profissionais.

Por exemplo, você pode ser uma pessoa que repete: "Queria ser mais organizado", mas você é totalmente capaz de fornecer a estrutura e inspiração para isso. Pensar em si como não sendo capaz já presume o fracasso iminente e prejudica sua capacidade de ter sucesso. A vida já tem obstáculos suficientes, não é preciso criar mais!

Os líderes pessoais eficazes analisam profundamente suas crenças, decidem quais servem para eles e eliminam as que não servem.

Quando você se pega dizendo algo que parece uma crença limitante, como "Não tenho tempo suficiente" ou "Eu jamais poderia fazer isso", faça uma pausa e transforme essas afirmações em perguntas fortalecedoras, como: *Onde posso arranjar mais tempo na minha agenda? Como posso fazer isso?*

Isso permite o uso de sua criatividade congênita para encontrar soluções. Sempre existe um jeito quando se está comprometido com algo. Nas palavras da estrela do tênis Martina Navratilova: "A diferença entre envolvimento e comprometimento é como presunto e ovos. A galinha está envolvida, o porco está comprometido." Estar totalmente comprometido é fundamental para fazer algo acontecer.

VEJA A SI MESMO COMO MELHOR DO QUE ANTES

Como Hal escreveu em *O milagre da manhã*, a maioria de nós sofre com a Síndrome do Espelho Retrovisor, limitando os resultados atuais e futuros com base em quem fomos no passado. Lembre-se: embora *onde você está seja resultado de quem você era, para onde você vai depende inteiramente de quem você escolhe ser a partir de agora.* Isso é particularmente importante para milionários, pois você vai cometer erros. Não deixe que a ideia de culpa o impeça de ver que sua capacidade é maior do que se pode imaginar. Existem poucos limites para a pessoa em quem você pode se transformar e para o que você pode criar na vida. Todo erro oferece uma oportunidade para aprender, crescer e ficar melhor do que já foi.

Vi uma entrevista com a fundadora da marca Spanx, Sara Blakely, a mais jovem bilionária por mérito próprio dos Estados Unidos. Ela atribui seu sucesso à mentalidade estimulada pelo pai: "Quando eu era criança, ele nos estimulou a falhar. Nós voltávamos da escola e ele perguntava, durante o jantar: 'No que você falhou hoje?' Se não houvesse nada, ele ficava decepcionado. Era uma psicologia reversa interessante. Eu voltava para casa, dizia que tinha me saído muito mal quando experimentava algo novo e ele me parabenizava." Se nós permitirmos que eles aconteçam, os erros podem se transformar em nossas maiores lições.

Todos cometemos erros. Os seres humanos não vêm com manual de instruções, e sempre haverá alguém para dar uma opinião não solicitada sobre a sua vida. Não ouça esse ruído! Tenha confiança em suas escolhas e, quando não tiver certeza, encontre as respostas e o auxílio de que precisa.

Todas as pessoas de sucesso em algum momento fizeram a escolha de se ver como melhores do que eram antes. Eles pararam de manter crenças limitantes com base no passado e começaram a formar crenças com base em seu potencial ilimitado para o futuro.

Uma das melhores maneiras de fazer isso é seguindo a fórmula em quatro etapas de *O milagre da manhã* para criar afirmações orientadas a resultados, detalhada no Capítulo 3. Crie afirmações que reforçam o que é possível para você, sempre lembrando o seu resultado ideal, por que ele é importante para você, o que exatamente você se compromete a fazer para conquistá-lo e quando se compromete a realizar essas ações.

BUSQUE APOIO ATIVAMENTE

Buscar apoio é crucial para milionários, mas muita gente tem dificuldade e sofre em silêncio porque supõe que todos os outros têm mais recursos.

As pessoas que têm autoliderança sabem que não conseguem agir sozinhas. Por exemplo, você pode precisar de apoio moral para reabastecer as energias que a vida faz questão de esgotar. Ou pode precisar de apoio em termos de responsabilização para superar a tendência de diminuir o comprometimento quando a situação fica difícil. Todos nós precisamos de apoio em áreas diferentes da vida, e os ótimos líderes pessoais entendem e usam isso a seu favor.

A comunidade de *O milagre da manhã* no Facebook é um ótimo lugar para buscar ajuda, pois os integrantes são positivos e receptivos. Tente participar de um grupo local com quem tenha objetivos e interesses similares aos seus. O site meetup.com pode ajudar a encontrar pessoas com ideais afins nas proximidades. Recomendo muito obter um parceiro de responsabilização e, se possível, um *coach* de vida ou de negócios para ajudá-lo.

OS QUATRO PRINCÍPIOS BÁSICOS DA LIDERANÇA PESSOAL

Embora a liderança pessoal seja uma habilidade, as habilidades são construídas com base em princípios. Para crescer e alcançar o nível desejado de sucesso, será preciso exercitar a autoliderança de maneira eficiente.

Meu jeito favorito de cortar a curva de aprendizado pela metade e diminuir o tempo necessário para chegar ao 1% entre os melhores é tentar imitar as características e comportamentos dos que chegaram ao topo antes de você.

Quando estava construindo minha riqueza, vi muitos milionários e uma infinidade de estratégias eficazes. Eis os quatro princípios que terão o maior impacto em seu compromisso com a liderança pessoal.

Primeiro princípio: assumir 100% da responsabilidade

A verdade é esta: se sua vida e empresa não estão progredindo como você gostaria, a responsabilidade é sua.

Quanto mais rápido você se der conta disso, mais rápido vai avançar. Essa não foi uma afirmação grosseira. As pessoas de sucesso raramente são vítimas. Na verdade, um dos motivos pelos quais elas têm sucesso é que elas assumem responsabilidade absoluta, total e completa por todos os aspectos da vida, seja pessoal ou profissional, bom ou ruim, trabalho delas ou de outra pessoa.

Enquanto as vítimas habitualmente perdem tempo e energia jogando a culpa nos outros e reclamando, os conquistadores estão ocupados criando os resultados e as circunstâncias que desejam para suas vidas. Enquanto os empreendedores medíocres reclamam que nenhum de seus clientes em potencial estão comprando por *este* ou *aquele* motivo, resmungando que o desempenho abaixo do esperado é culpa da equipe, os empreendedores de sucesso assumem 100% da responsabilidade por encontrar os clientes potenciais certos e, mais importante, adquirir as habilidades necessárias para construir volume e fazer as pessoas trabalharem corretamente. Eles estão tão ocupados trabalhando que não têm tempo para reclamar.

Ouvi Hal articular uma distinção profunda em uma de suas palestras: "O momento em que você assume 100% da responsabilidade por tudo na vida é o mesmo em que você retoma o poder de mudar tudo. A diferença crucial está em perceber que assumir a responsabilidade não é o mesmo que aceitar a *culpa*. Enquanto a culpa determina quem errou em algo, a responsabilidade determina quem está comprometido a melhorar uma situação. Raramente importa quem errou. O que importa é que VOCÊ esteja comprometido em melhorar a situação." Ele tem razão. E é algo poderoso quando você começa a pensar e agir de acordo com esse preceito. Subitamente, a vida e os resultados estão sob seu controle.

Quando você assume a responsabilidade pela própria vida, não há tempo para discutir quem errou ou de quem é a culpa. Entrar no jogo da culpa é fácil, mas não há mais lugar para ele em sua vida. Encontrar motivos pelos quais os objetivos não foram conquistados é para os outros. Afinal, você é responsável pelos seus resultados, bons e ruins. Você pode celebrar os acertos e aprender com os erros. De todo o modo, você sempre tem uma escolha sobre a forma de responder ou reagir em qualquer situação.

Um dos motivos da importância dessa mentalidade é que você está liderando pelo exemplo. Se você sempre procura alguém para culpar, sua equipe vê isso e provavelmente não respeita as suas decisões. Como um pai ou mãe tentando trazer à tona o melhor dos filhos, seus liderados estão sempre observando você. Portanto, viver de acordo com os valores que você deseja incutir em cada um deles é crucial.

Aqui está a mudança psicológica que lhe sugiro: assuma a responsabilidade e a liderança por todas as suas decisões, ações e resultados, começando agora. Substitua a culpa desnecessária pela responsabilidade resoluta. Mesmo se outra pessoa pisar na bola, pergunte a si mesmo o que você poderia ter feito e, o mais importante, o que pode fazer no futuro para impedir que a bola seja pisada de novo. Embora não seja possível mudar o passado, a boa notícia é que você pode mudar todo o resto.

De agora em diante, não há dúvida sobre quem está no controle e é responsável por todos os seus resultados. Você toma as decisões, faz o acompanhamento, define os resultados que deseja e os consegue. Você é 100% responsável por eles.

Lembre-se: o poder e o controle estão em suas mãos, e não há limite para o que você pode realizar.

Segundo princípio: priorizar a boa forma física e fazer exercícios prazerosos

Em uma escala de um a dez, como você definiria sua saúde e capacidade física? Você está em forma? Forte? Você se *sente* bem no geral?

E o nível de disposição durante o dia? Você tem mais energia do que consegue gastar? Consegue levantar antes do despertador para fazer o que importa, lidar com todas as demandas e apagar incêndios inevitáveis, terminando o dia tranquilo, com disposição e fôlego?

Nós falamos sobre os exercícios na parte dos Salvadores de Vida e, sim, vou abordar isso de novo agora. O estado da sua saúde e a boa forma física são comprovadamente fatores cruciais para manter os níveis de energia e sucesso, sobretudo em se tratando de empreendedores, porque, ao contrário dos funcionários, você não recebe com base no horário em que bate o ponto. Você recebe com base na qualidade dos resultados que produz no período de tempo em que trabalha. Ser milionário é um esporte que exige energia. Como qualquer esporte, é preciso ter um suprimento extraordinário de vigor para se destacar.

Portanto, não surpreende que as três prioridades entre as pessoas de alto desempenho (que você também precisa ter em sua vida) sejam a qualidade da alimentação, do sono e os exercícios físicos. Vamos detalhar cada um deles no próximo capítulo, sobre engenharia de energia, mas vamos começar garantindo a prática diária de exercícios. O segredo é encontrar atividades físicas que você goste de fazer.

A relação entre boa forma física, felicidade e sucesso é inegável. Não é coincidência que você raramente veja pessoas de alto desempenho que estejam terrivelmente fora de forma. A maioria delas agenda e dedica entre trinta e sessenta minutos diários à academia ou pista de corrida porque entende o papel crucial do exercício físico diário para o sucesso.

Embora os exercícios físicos como parte dos Salvadores de Vida façam você começar o dia com cinco a dez minutos de movimento, recomendamos o compromisso de fazer entre trinta e sessenta minutos de atividades adicionais entre três e cinco vezes por semana. Isso vai garantir que a aptidão física forneça a energia e a confiança de que você precisa para ter sucesso.

Melhor ainda é se envolver em algum tipo de exercício que traga um prazer intenso. De fazer trilha ao ar livre e praticar *ultimate frisbee* até colocar uma bicicleta ergométrica na frente da TV para apreciar seu programa favorito, até se esquecer de que está se exercitando. Ou você pode fazer o mesmo que o Hal: ele ama praticar *wakeboard* e jogar basquete, duas excelentes formas de exercício, alternando os dois ao longo da semana. Você verá a agenda básica do Hal em breve e saberá como essas atividades se encaixam com as outras prioridades dele.

Que atividades físicas você gosta de fazer e pode se comprometer a agendar como parte do seu ritual diário de exercícios?

Terceiro princípio: sistematizar o seu mundo

Os líderes pessoais eficazes têm *sistemas* para quase tudo, desde atividades profissionais como agendamento, acompanhamento, fazer pedidos e mandar cartões de agradecimento até atividades pessoais como dormir, comer, administrar dinheiro, fazer manutenção em carros e as responsabilidades familiares. Esses sistemas facilitam a vida e garantem que você esteja pronto para tudo.

Veja algumas práticas que você poderá aplicar de imediato para sistematizar seu mundo:

1. **Automação:** lá em casa, pão, leite e ovos são obrigatórios, mas passar no supermercado constantemente para reabastecer virou um fardo. Descobri um serviço que entrega as compras em casa, então decidimos usá-lo em vez de sair correndo o tempo todo para reabastecer a despensa. Se houver algo em sua vida que não traga alegria, tente eliminar isso com a automação.

    Eu odeio limpar banheiros e lavar a roupa, então dei um jeito de contratar quem faça isso por mim. Um benefício disso é que ficamos responsáveis por manter a casa arrumada. Sei que nem todo mundo pode pagar pela faxina, mas, se esse for o seu caso, é possível trocar serviços com amigos ou elaborar outras soluções criativas. Um dos meus amigos incluiu a limpeza da casa nos exercícios dos Salvadores de Vida, fazendo um pouquinho a cada manhã.

2. **Malas e viagens:** além de ser um escritor de sucesso, Hal é um palestrante que viaja toda semana, dividindo a mensagem de *O milagre da manhã* com plateias nos Estados Unidos e no exterior. Juntar os itens de que ele precisava para cada viagem gastava tempo, era ineficiente e ineficaz, pois ele com frequência esquecia algo em casa ou no escritório. Após esquecer a fonte do computador pela terceira vez e ter que procurar uma loja da Apple para comprar outra pelo "precinho" de 99 dólares [cerca de 370 reais], além de pedir à recepção do hotel um carregador de celular, barbeador ou um par de abotoaduras deixadas para trás por algum hóspede distraído, ele disse "chega" e organizou uma bolsa com todos os objetos necessários para suas viagens. Agora, ele pode sair imediatamente porque a bolsa contém todos os objetos para fazer negócios na estrada: cartões de visita, panfletos, exemplares de seus livros, adaptadores e carregadores para o celular e computador e até protetores de ouvido, caso o vizinho do quarto de hotel seja barulhento.

    Você precisa de um sistema quando tem um desafio recorrente ou descobre que está perdendo objetos importantes por falta de preparo. Se você sai de casa com tempo apenas para chegar ao primeiro compromisso do dia e descobre que o carro está quase sem gasolina,

vai precisar de um sistema para sair mais cedo. Veja algumas formas de se planejar com antecedência:
- Reserve um tempo na noite anterior e prepare o almoço, bolsa ou maleta, as roupas de ginástica e a roupa que vai vestir no dia seguinte.
- Prepare um kit para usar fora do escritório, com panfletos, catálogos ou outros objetos necessários para fazer negócios.
- Estoque lanches saudáveis para comer na rua (maçãs, chips de couve crespa, cenouras etc.), impedindo que você pare em uma loja de conveniência ou restaurante de fast-food e escolha algo que não seja saudável.

Em suma, você usa um sistema quando precisa se organizar. Uma vida sem sistemas é uma vida de estresse desnecessário! Isso é especialmente válido para os milionários.

3. **Agenda básica:** ter uma agenda básica é crucial para ampliar o foco, a produtividade e a renda. Se você passa os dias indo de uma tarefa para a outra e acaba se perguntando onde foi parar seu tempo e que progresso significativo foi feito (se é que houve algum), então perdeu mais oportunidades do que podemos calcular. Você se identifica com isso?

Vou mostrar ou pelo menos lembrá-lo de algo que vai transformar sua capacidade de produzir resultados duradouros e espetaculares. *É preciso criar uma agenda básica que dê estrutura e intenção aos seus dias e semanas.* Uma agenda básica é uma tabela predeterminada e recorrente composta por intervalos dedicados às suas atividades com prioridade mais alta. A maioria de nós entende os benefícios disso de modo intuitivo, mas poucos fazem essa agenda de modo eficaz e regrado.

Eu sei, você ficou adulto justamente para se livrar de estruturas. Acredite, eu entendo, mas, quanto mais você alavancar uma agenda básica composta por intervalos de uma a três horas de duração para se concentrar nos projetos ou nas atividades que vão aproveitar ao máximo sua vida e seus negócios, mais liberdade terá.

Isso não significa que não haja espaço para ser flexível. Na verdade, sugiro que você *agende* a flexibilidade. Planeje vários intervalos para a família, diversão e recreação em sua agenda. Você pode até ir mais longe e incluir um intervalo chamado "Fazer o que me der na telha", dedicado exatamente a isso. Também é possível mover os horários de acordo com a necessidade. O importante é enfrentar os dias e semanas com alto grau de clareza e intenção para investir cada hora de cada dia, mesmo se essa hora for passada fazendo *o que lhe der na telha*. Pelo menos você planejou isso. Manter uma agenda básica é a forma de aumentar sua produtividade para não terminar o dia se perguntando onde o seu tempo foi parar. Ele não vai a lugar algum sem que você tome uma decisão consciente, pois todos os minutos do seu dia serão intencionais.

Pedi ao Hal que divulgasse sua agenda básica semanal para você ter um exemplo de como isso funciona. Embora tenha o luxo da liberdade corporativa e não precise seguir uma agenda predeterminada, Hal diz que ter esta agenda básica é um dos segredos para que ele maximize todos os dias.

AGENDA BÁSICA DO HAL
(Observação: todas as horas são planejadas)

Horário	Seg.	Ter.
4:00	SALVADORES DE VIDA	SALVADORES DE VIDA
5:00	Escrita	Escrita
6:00	E-mails	E-mails
7:00	Levar as crianças à escola	Levar as crianças à escola
8:00	Reunião com a equipe	Prioridade 1
9:00	Prioridade 1	*Wakeboard*
↓	↓	↓
11:00	Almoço	Almoço
12:00	Basquete	Prioridades
13:00	Prioridades	Entrevista
14:00	Prioridades	Entrevista
15:00	Prioridades	Entrevista
16:00	Prioridades	Prioridades
17:00	FAMÍLIA	FAMÍLIA
↓	↓	↓
22:00	Dormir	Dormir

PRIMEIRO PRINCÍPIO NADA ÓBVIO DOS MILIONÁRIOS   169

(Observação: todas as horas são planejadas)

Qua.	Qui.	Sex.	Sáb./Dom.
SALVADORES DE VIDA	SALVADORES DE VIDA	SALVADORES DE VIDA	SALVADORES DE VIDA
Escrita	Escrita	Escrita	Escrita
E-mails	E-mails	E-mails	↓
Levar as crianças à escola	Levar as crianças à escola	Levar as crianças à escola	Tempo com a família
Prioridade 1	Prioridade 1	Prioridade 1	↓
↓	*Wakeboard*	↓	↓
↓	↓	↓	↓
Almoço	Almoço	Almoço	↓
Basquete	Prioridades	Basquete	↓
Ligações para clientes	Entrevista	Prioridades	↓
Ligações para clientes	Entrevista	Prioridades	↓
Ligações para clientes	Entrevista	Prioridades	↓
Prioridades	Prioridades	PLANEJAMENTO	↓
FAMÍLIA	FAMÍLIA	Noite de namoro	↓
↓	↓	↓	↓
Dormir	Dormir	:^) ???	Dormir

Tenha em mente que imprevistos (eventos, palestras, férias etc.) alteram a agenda básica do Hal, como acontece com quase todo mundo, mas apenas temporariamente. Assim que ele volta para casa e para o escritório, retoma a programação normal.

Um dos principais motivos para a eficácia dessa técnica é resolver a montanha-russa emocional causada pelas suas decisões e pela variedade nos resultados de suas atividades. Quantas vezes um compromisso deu errado, afetando seu estado emocional e sua capacidade de se concentrar? É muito provável que seu foco e produtividade tenham sido prejudicados no resto desse dia. No entanto, se você seguiu a agenda básica que dizia "evento de networking", "redigir anúncios" ou "fazer ligações" e se comprometeu com ela, ainda assim teve uma tarde produtiva. Assuma o controle. Pare de deixar a produtividade nas mãos do acaso e não permita que influências externas afetem sua rotina. Crie uma agenda básica com tudo o que você precisa fazer — incluindo atividades recreativas, tempo para a família e diversão — e siga tudo à risca, não importa o que aconteça.

Caso precise de apoio adicional para seguir o cronograma, mande uma cópia de sua agenda básica para um parceiro de responsabilização ou *coach* e peça que ele cobre de você. O compromisso com esse sistema vai permitir que você tenha mais controle sobre a produtividade e os resultados.

Quarto princípio: comprometer-se com a consistência

Se existe um segredo não tão óbvio para o sucesso é este: *comprometa-se com a consistência*. Todo objetivo, seja melhorar a aparência ou expandir a empresa ou ainda passar mais tempo com a família, exige uma abordagem consistente para obter os resultados desejados.

Nos capítulos a seguir, vou fornecer as informações e a direção que você precisa tomar para agir de modo consistente. Por ora, prepare a mente para continuar, mesmo quando os resultados que você deseja não vierem com a rapidez necessária, e tenha vigor para suportar muitas rejeições e decepções enquanto se ajusta ao seu novo eu. Os melhores criadores de riqueza são consistentes, persistentes e têm dedicação inesgotável para agir todos os dias. Você também precisa ser assim!

COMO VAI A SUA AUTOESTIMA?

Como sugeriu o dramaturgo norte-americano August Wilson: "Enfrente as suas partes sombrias e trabalhe para se livrar delas com iluminação e perdão. A disposição para enfrentar seus demônios vai fazer seus anjos cantarem." A autoestima oferece a coragem para experimentar novas experiências e o poder de acreditar em si mesmo.

É crucial que você se permita ter orgulho de si. Sim, é preciso ser realista em relação às próprias fraquezas e sempre lutar para melhorar, mas não hesite em ter orgulho de seus pontos fortes e apreciar as pequenas vitórias. Você vai encontrar muitos dias cheios de decepções, adiamentos e recusas pelo caminho, portanto se amar é crucial. Reconheça quando fizer o seu melhor. Tenho uma parte especial no meu diário em que escrevo bilhetes carinhosos para mim mesmo. Nos dias em que preciso de um estímulo a mais, anoto tudo o que amo e aprecio a meu respeito.

Uma autoestima inabalável é uma ferramenta poderosa. Você provavelmente já sabe que uma atitude negativa não leva a lugar algum! Com a atitude certa, todos os desafios do dia podem ser resolvidos rapidamente, pois você mantém a calma para seguir em frente. Quando você tiver confiança nas próprias habilidades e compromisso com a consistência, seu comportamento vai mudar e o sucesso será inevitável.

COLOCANDO A LIDERANÇA PESSOAL EM AÇÃO

Desenvolver a liderança pessoal ajuda a se colocar no papel de líder da própria vida, eliminando a mentalidade de vítima e garantindo que você conheça os valores, crenças e visão segundo os quais deseja viver.

Primeira etapa: revisar e aplicar os quatro princípios básicos da liderança pessoal:

1. **Assumir 100% da responsabilidade.** Lembre-se: assim que aceitar a responsabilidade por *tudo* na vida, você conquista o poder de mudar *tudo*. Seu sucesso cabe totalmente a você.
2. **Priorizar a boa forma física e fazer exercícios prazerosos.** Se a boa forma física diária ainda não for uma prioridade em sua vida, mude isso agora. Além dos exercícios matinais, reserve um tempo para uma atividade física mais longa, entre trinta e sessenta minutos de três a cinco vezes por semana. Quanto aos alimentos que darão uma dose extra de energia, vamos falar disso no próximo capítulo.
3. **Sistematizar o seu mundo.** Comece criando uma agenda básica e depois identifique as áreas da sua vida ou empresa que podem se beneficiar do uso de sistemas e agendas com horários reservados, para que o seu processo de produção de resultados esteja predeterminado todos os dias e o sucesso esteja praticamente garantido. E, o mais importante: adote um sistema de responsabilização em seu mundo, seja por meio de um colega, *coach* ou alavancando sua equipe ao se comprometer com eles e liderar pelo exemplo.
4. **Comprometer-se com a consistência.** Todos precisam de estrutura. Ao escolher a consistência, você se compromete com as próprias expectativas e valores. Se estiver experimentando uma nova abordagem, dê a ela um bom período para funcionar antes de jogar a toalha e trocar por algo novo

Segunda etapa: desenvolver o autocontrole e aperfeiçoar a autoimagem por meio de afirmações e visualização. Personalize esse processo o quanto antes, pois os resultados levam tempo. Quanto mais cedo você começar, mais rápido vai notar a melhora.

Espero que você tenha entendido como seu desenvolvimento pessoal é importante para criar sucesso. Enquanto lê este livro (e sugiro que a leitura seja feita mais de uma vez), recomendo que você aborde intencionalmente as áreas em que precisa melhorar e expandir. Se a sua autoestima estiver precisando de uma força, aja para melhorá-la. Crie afirmações para aumentá-la e desenvolvê-la ao longo do tempo. Visualize-se agindo com mais confiança, elevando seus padrões e se amando mais.

Se tudo isso parece avassalador, lembre-se do poder da mudança gradativa. Não é preciso fazer tudo de uma vez. E tenho outra boa notícia: no próximo capítulo, vamos ensinar a engenharia que é preciso aplicar em sua vida a fim de criar energia física, mental e emocional constante para que você consiga manter níveis extraordinários de clareza, foco e ação todos os dias.

MILIONÁRIOS DA MANHÃ

Eu me levanto por volta das oito horas e tenho uma regra simples: fazer algo antes de verificar os e-mails. Pode ser tomar banho, sair para uma longa corrida ou escrever alguns pensamentos no meu diário. Geralmente é a escrita. Na maioria das manhãs eu tento escrever por uma ou duas horas antes de começar o resto do dia (e a lista de tarefas que fiz no dia anterior).

— Ryan Holiday, escritor de sucesso e estrategista de mídia

Capítulo 11

SEGUNDO PRINCÍPIO NADA ÓBVIO DOS MILIONÁRIOS

ENGENHARIA DE ENERGIA

O mundo pertence aos vigorosos

— Ralph Waldo Emerson

Ficar milionário geralmente significa fazer tudo com seu próprio combustível. Não importa o quanto você decida ganhar, investir e crescer, criar valor significa enfrentar o dia com uma dose extra de vitalidade física, mental e emocional.

O problema é que esse combustível pode acabar. Em alguns dias, e eu sei que você já viveu isso, você acorda e não tem a motivação ou disposição necessária para lidar com os desafios que virão pela frente. Gerenciar uma startup, criar ou expandir um empreendimento, tudo isso pode ser exaustivo tanto em termos físicos quanto mentais, e isso nos dias bons. Manter o foco no meio de tanta incerteza e sobrecarga não é fácil. Os dias bons exigem entusiasmo, planejamento e persistência. Os dias difíceis exigem tudo isso e muito mais.

Ficar rico exige abundância de energia. Não há outro jeito. Você pode ter o melhor plano de negócios, a melhor equipe e o melhor produto, mas, se não tiver a motivação para aproveitar tudo isso, conquistar seus objetivos será desnecessariamente difícil. Se você quiser construir riqueza, precisa de energia. Quanto mais, melhor, e quanto mais *consistente*, melhor.

- A energia é o combustível que permite a você manter clareza, foco e ação para gerar resultados incríveis dia após dia.
- A energia é contagiosa e se espalha de você para o mundo como um vírus do bem, criando sintomas de entusiasmo e respostas positivas em toda a parte.
- A energia é a base de tudo, determinando o sucesso que atraímos.

A pergunta então é: *como fazer a engenharia de sua vida de modo estratégico para manter um alto nível de energia física, mental e emocional,* em uma dose extra e sustentável que sempre estará disponível quando você precisar?

Uma abordagem comum quando enfrentamos esse problema é tentar compensar com açúcar, cafeína e outros estimulantes, mas eles costumam funcionar por algum tempo até não aguentarmos mais. Você já deve ter notado que pode utilizar estimulantes por um breve período, e o efeito deles passa justamente quando você mais precisa.

Posso até ouvir um desses apresentadores de infomerciais dizendo: *Mas, David, tem que haver um jeito melhor de lidar com isso.*

E tem mesmo. Se você estiver vivendo à base de café e determinação, vai se espantar com o que poderá fazer quando entender como a energia funciona e se comprometer a mudar sua vida para otimizá-la.

CICLOS DE ENERGIA NATURAL

O primeiro ponto a esclarecer é que nosso objetivo não diz respeito a correr em velocidade máxima o tempo todo. Não é prático manter esse ritmo. Como seres humanos, temos altos e baixos naturais na motivação. Saiba identificar seus picos de energia diários e dê a si mesmo tempo para se recuperar, descansar e recarregar as baterias quando a intensidade diminuir.

Do mesmo jeito que as plantas domésticas precisam de água, os seres humanos precisam reabastecer. Você pode funcionar a todo vapor por longos períodos de tempo, mas a mente, o corpo e o ânimo vão acabar precisando de recarga. Pense na vida como um recipiente que guarda sua energia. Quando você não gerencia direito o seu recipiente, é como se houvesse um buraco no fundo. Não importa o quanto você despeje algo, ele nunca vai encher.

Em vez de ficar sobrecarregado, esgotado ou estressado, por que não ser proativo e ter um sistema de recarga automática? Isso vai ajudá-lo a tapar os buracos em seu recipiente e enchê-lo com a energia de que precisa.

Estar continuamente exausto é inaceitável. Você não tem que se contentar com o fato de estar cansado, mal-humorado, atrasado com as tarefas, fora de forma e infeliz. Existem algumas formas simples de fazer a engenharia estratégica da sua vida para obter vitalidade física, mental e emocional em níveis adequados e sustentáveis.

Estes são os três princípios que sigo para manter o nível máximo de energia à disposição sempre que precisar.

1. Comer e beber para obter energia

Quando se trata de gerar aquela dose extra de energia sustentável, o que você come e bebe pode ser crucial. Se você for como a maioria das pessoas, baseia suas escolhas alimentares primeiro no sabor e depois nas consequências (se é que você pensa nelas), mas o que agrada as papilas gustativas com frequência não dá a energia de que precisamos para funcionar o dia inteiro.

Não há nada errado em comer alimentos gostosos, mas, se você quiser ter a saúde e energia de um campeão, é preciso tomar a decisão consciente de *colocar mais valor nas consequências dos alimentos que você come do que no sabor*. Por quê? Porque as escolhas alimentares estão entre as que mais afetam o seu nível de energia. Pare um segundo e pense no cansaço após uma grande refeição, como a ceia de Natal. Não é coincidência que depois de comer muito você sinta moleza e tire uma soneca. Não é à toa que chamam isso de "coma alimentar".

Os alimentos extremamente processados (industrializados feitos com grande quantidade de açúcar e outros carboidratos simples) esgotam mais do que dão energia. Em vez de aumentar a energia, esses alimentos basicamente "mortos" fazem você ter um pico e depois despencar, gerando cansaço e apatia logo em seguida. Por outro lado, alimentos integrais como frutas, vegetais, castanhas e sementes fazem você ficar mais saudável e mantêm o nível de energia, fortalecendo o corpo e a mente, permitindo a você funcionar em seu melhor.

Tudo o que você ingere contribui ou prejudica a saúde e a energia. Beber água é positivo. Uma dose dupla de tequila não é. Ter uma alimentação rica em frutas e vegetais frescos é mais positivo ainda. Dirigir até a lanchonete para devorar fast-food? Nem um pouco. Isso não é difícil de entender, mas pode ser a área mais importante de sua vida a ser otimizada. E, se você for igual à maioria das pessoas, talvez precise parar de se enganar.

Se você não estiver fazendo isso, é hora de ser responsável e estratégico em relação ao que come, quando come e, o mais importante, *por que* come, de modo a fazer a engenharia da sua vida em busca da vitalidade máxima.

Comer de modo estratégico

A esta altura, você deve estar se perguntando: e *quando é que eu como durante* O milagre da manhã? Vou falar disso agora. Também vou abordar *o que* é preciso comer para obter o alto desempenho crucial e *por que* você escolhe os seus alimentos, talvez o mais importante de tudo.

Quando comer: a digestão é um processo que exige energia. Quanto maior a refeição e mais alimento você der para o corpo digerir, maior será o seu esgotamento. Recomendo fazer a primeira refeição *depois* do *Milagre da manhã*. Para obter o nível máximo de alerta e foco durante os Salvadores de Vida, o sangue precisa fluir para o cérebro em vez de ir para o seu estômago, a fim de digerir a comida.

Algumas pessoas sentem mais fome que outras de manhã. Você pode querer começar o dia ingerindo uma pequena quantidade de gordura saudável para dar combustível ao cérebro. Estudos mostram que manter a mente afiada e o humor equilibrado pode estar amplamente relacionado ao tipo de gordura que você consome. "O cérebro tem pelo menos 60% de gordura, além de ser composto de gorduras que precisam ser obtidas pela alimentação, como o ômega 3", diz Amy Jamieson-Petonic, nutricionista, diretora de *coaching* voltado para bem-estar na Cleveland Clinic e porta-voz nacional da Associação Dietética Norte-Americana.

Após beber seu primeiro copo de água, Hal começa toda manhã com gorduras saudáveis, que geralmente incluem uma colher de sopa de óleo de coco orgânico, ou mistura uma xícara de café orgânico com óleo de triglicerídeos de cadeia média (também conhecido como TCM ou MCT). Tanto a colher de sopa de óleo de coco quanto o óleo MCT contêm gorduras saudáveis que servem como combustível para o cérebro.

Os benefícios do cacau para a saúde são significativos, desde ser uma usina de força rica em antioxidantes (o cacau está entre os vinte melhores em termos de absorção dos radicais oxigenados de acordo com o índice ORAC, usado para avaliar a capacidade antioxidante dos alimentos) até diminuir a pressão sanguínea. Talvez o mais empolgante seja que comer cacau deixa você feliz! Ele contém *feniletilamina* (conhecido como "o hormônio da paixão"), responsável pelo humor e pelo prazer e que gera os mesmos sentimentos de quando você está apaixonado, além de agir como estimulante e deixar você mais alerta. Em outras palavras, o cacau é um grande vencedor no departamento nutricional.

Se você precisa fazer uma refeição assim que acorda, cuide para que seja algo pequeno, leve e fácil de digerir, como frutas frescas ou uma vitamina (falarei mais sobre isso em breve).

O que comer: vamos reservar um momento para mergulhar mais fundo no *por que* você escolhe os alimentos que consome. Quando está fazendo compras no supermercado ou vendo o cardápio de um restaurante, quais critérios você usa para determinar os alimentos que vai colocar em seu corpo? As escolhas se baseiam puramente no sabor? Textura? Conveniência? Elas são feitas com base na saúde? Vigor? Restrições alimentares?

A maioria das pessoas escolhe os alimentos com base principalmente no *sabor* e, no fundo, no apego emocional às comidas de que gostam. Se você fosse perguntar a alguém: "Por que você tomou aquele sorvete? Por que bebeu aquele refrigerante?", ou "Por que comprou esse frango de padaria?", provavelmente vai ouvir respostas como *"Ah, porque eu amo sorvete!"*, *"Adoro o sabor do refrigerante!"*, *"Eu estava com vontade de comer frango assado!"*. Todas essas respostas se baseiam no prazer emocional gerado pelo sabor desses alimentos. Nesse caso, a pessoa provavelmente não consegue explicar suas escolhas alimentares dizendo o valor desses alimentos para a saúde ou a motivação que virá como resultado de ingeri-los.

Se você quiser ter o melhor desempenho e maximizar a produtividade diária (todos nós queremos) e se deseja uma vida saudável e sem doenças (e quem não quer?), então é crucial analisar por que você escolhe os alimentos que come. Vale repetir: de agora em diante, *comece a dar muito mais valor às consequências dos alimentos que consome do que ao sabor*. Afinal, um alimento gostoso oferece poucos minutos de prazer, mas as consequências em termos de saúde e vigor afetam o resto do dia e, no fim das contas, o resto de sua vida.

Isso não significa que é preciso comer algo que *não* seja gostoso em troca de saúde e energia: a beleza dos alimentos é que você pode ter sabor e energia. Contudo, se você quiser abundância diária de energia para ter o melhor desempenho e uma vida longa e saudável, é preciso escolher alimentos que ofereçam saúde e energia prolongadas como prioridade máxima.

O que comer: antes de falar sobre o que comer, vamos reservar um segundo para falar sobre o que *beber*. Lembre-se de que a quarta etapa da estratégia de cinco passos à prova de soneca é beber um copo de água assim que acordar de manhã para se reidratar e recarregar após uma noite de sono.

Quanto ao que comer, foi comprovado que uma dieta rica em *alimentos vivos* como frutas e vegetais frescos vai aumentar a vitalidade, melhorar o foco mental e o bem-estar emocional, manter a saúde e proteger você de doenças. Por isso, Hal criou um *smoothie de superalimentos* de O *milagre da manhã*, com tudo o que o seu corpo precisa em um copo grande e gelado! O smoothie do Hal contém proteínas completas (*todos* os aminoácidos essenciais), antioxidantes para derrotar a idade, ácidos graxos essenciais ômega 3 (para aumentar a imunidade, a saúde cardiovascular e o poder cerebral), além de um amplo espectro de vitaminas e minerais, e isso é só para começar. Existem também os *superalimentos*, como os fitonutrientes do cacau, que são estimulantes e melhoram o humor; a energia duradoura fornecida pela maca (adaptógeno andino famoso pelos efeitos de equilíbrio hormonal); e os nutrientes das sementes de chia, que aumentam a imunidade e diminuem o apetite.

O Smoothie de Superalimentos de *O milagre da manhã* não só fornece energia prolongada como também é muito gostoso. Você pode até achar que ele aumenta a capacidade de criar milagres em sua vida. Baixe e imprima a receita de graça em https://www.miraclemorning.com/Brazil/, junto com outros materiais. Assim você poderá deixar a receita impressa (em vez deste livro) ao lado do liquidificador. Porque, se você for igual a mim, de vez em quando vai se esquecer de fechar bem a tampa e acabar com smoothie de superalimentos pingando por toda a cozinha.

Lembra do velho ditado *você é o que come*? É verdade. Cuide bem do seu corpo para que ele cuide bem de você.

Mudei minha visão sobre os alimentos, que deixaram de ser uma recompensa, guloseima ou conforto para virar combustível. Quero consumir alimentos deliciosos e saudáveis que ajudem em minha missão e me permitam seguir em frente pelo tempo que preciso. Ainda gosto de certos alimentos que não são os mais saudáveis, mas eu estrategicamente os reservo para momentos em que não preciso manter o nível máximo de energia, como à noite e nos fins de semana.

O jeito mais fácil de tomar decisões melhores sobre a alimentação foi prestar atenção no jeito que me sentia após consumir determinados alimentos. Passei a configurar um timer para sessenta minutos após o fim de cada refeição. Uma hora depois, meu timer apitava e eu avaliava o meu estado. Não levou muito tempo para reconhecer quais alimentos me davam mais ganho de energia e quais não davam. Posso dizer exatamente a diferença em meu nível de energia nos dias em que tomo uma vitamina ou como uma salada e nos dias em que cedo aos meus desejos e como um sanduíche de frango ou uma fatia daquela pizza deliciosa. As primeiras opções me dão uma dose extra de ânimo, enquanto as últimas me deixam com déficit de energia.

Como seria dar ao corpo o que ele precisa para trabalhar e se divertir pelo tempo que você quisesse? Como seria dar a si mesmo exatamente o que você merece? Dê a si mesmo o presente de uma ótima saúde, conscientemente escolhida por meio do que você come e bebe.

Se você come ao longo do dia quase como algo secundário, talvez buscando o drive-thru mais próximo quando está morrendo de fome, é hora de criar uma nova estratégia.

Pense um pouco nas seguintes perguntas:

- Posso analisar as consequências (tanto em termos de saúde quanto de energia) do que eu como de modo consciente e valorizá-las mais do que o sabor dos alimentos?
- Posso levar uma garrafa de água para me hidratar com consciência e propósito, evitando a desidratação?
- Posso planejar as refeições com antecedência, incluindo lanches saudáveis para combater os padrões antigos que não me servem mais?

Sim, você pode fazer tudo isso e muito mais. Pense em como a vida será muito melhor e quanta energia a mais você terá para sua empresa quando for responsável e consciente em relação aos hábitos alimentares.

- Você vai manter um estado mental e emocional positivo. A falta de energia nos deixa para baixo, enquanto o aumento produz mentalidade, perspectiva e atitude positivas.
- Você será mais disciplinado. A falta de disciplina esgota a força de vontade, aumentando a probabilidade de escolher o que é *fácil* em vez do que é *certo*. O aumento na energia eleva a autodisciplina.
- Você vai viver mais.
- Você será um exemplo para as pessoas que lidera e para as que ama. O nosso jeito de viver dá permissão às pessoas ao redor para fazerem o mesmo.
- Você vai ficar mais saudável, ter mais longevidade e se sentir muito melhor.

- Bônus: você vai manter o peso natural sem esforço.
- Melhor bônus de todos: você vai expandir mais a sua empresa, vender mais, recrutar mais e melhores funcionários e ganhar mais dinheiro porque terá uma aparência ótima e assim se sentirá ainda melhor.

Não se esqueça de se hidratar ao longo do dia. A falta de água pode levar à desidratação, que ocorre quando não existe água o suficiente no corpo para realizar suas funções normais. Até uma desidratação leve pode esgotar a vitalidade, deixando você cansado.

Ao colocar em prática a estratégia de cinco passos à prova de soneca, você toma o primeiro copo de água no início do dia. Além disso, recomendo levar uma garrafa grande com você e criar o hábito de beber meio litro de água a cada período entre uma e duas horas. Se lembrar disso for um desafio, configure um timer recorrente ou acrescente vários alarmes em seu telefone. Toda vez que ouvir o alarme, beba o que sobrou da garrafa e encha novamente para a próxima rodada de reidratação. Ter uma garrafa cheia à mão vai permitir que você também beba água conforme necessário.

Quando se trata de frequência da alimentação, é importante reabastecer a cada três ou quatro horas, com alimentos vivos, pequenos e fáceis de digerir. Minhas refeições regulares são compostas por algum tipo de proteína e vegetais. Para manter alto o nível de glicose no sangue, dou preferência a alimentos vivos, incluindo frutas, castanhas cruas e um dos meus lanches favoritos para viagens: chips de couve crespa. Tento planejar as melhores refeições para os dias em que preciso ser mais produtivo.

Acredito que comer para obter energia, desde a primeira refeição do dia até o fim do expediente e combinado aos exercícios físicos, me dá a liberdade de comer o que quiser à noite e nos fins de semana. Acredito que posso comer o que quiser, só não tanto quanto eu gostaria. Aprendi a provar tudo, mas como apenas o suficiente para ficar satisfeito.

No fim das contas, é preciso lembrar que comida é um combustível. É preciso se comprometer a usar o melhor combustível possível para levar você do início ao fim do dia, sentindo-se bem e com muita energia. Valorizar mais as consequências dos alimentos do que o sabor, além de consumir gorduras saudáveis e alimentos vivos que fornecem combustível aditivado, é o primeiro passo da engenharia de energia.

2. Dormir e acordar para vencer

Dormir mais para conquistar mais. Esse pode ser o mantra de negócios menos intuitivo que você já ouviu na vida, mas é verdade. O corpo precisa do sono toda noite para funcionar adequadamente e se recuperar após um dia difícil. O sono também tem papel crucial para o sistema imunológico, metabolismo, memória, aprendizado e outras funções vitais. É o período em que o corpo faz a maior parte de seus processos de reparo, cura, repouso e crescimento. Se você não dormir o suficiente, vai se desgastando aos poucos.

Dormir *versus* dormir o *suficiente*

E quanto é o suficiente? Existe uma grande diferença entre a quantidade de sono com a qual você sobrevive e a quantidade necessária para funcionar de modo mais eficiente. Pesquisadores da Universidade da Califórnia, em São Francisco, descobriram que algumas pessoas têm um gene que lhes permite funcionar bem com seis horas de sono por dia. Esse gene, contudo, é muito raro, aparecendo em menos de 3% da população. Para o resto dos 97%, seis horas não chega nem perto de dar conta. Só porque você consegue funcionar com cinco a seis horas de sono não significa que não se sentiria melhor e renderia mais se passasse uma ou duas horinhas a mais na cama.

Isso não parece intuitivo. Quase posso ouvir você pensando: *passar mais tempo na cama e render mais? Como isso funciona?* Mas está bem documentado: dormir o suficiente permite que o corpo tenha um nível mais alto de desempenho. Não só você vai trabalhar melhor e mais rápido como sua atitude também vai melhorar.

A quantidade de repouso noturno de que cada indivíduo precisa é diferente, mas pesquisas mostram que, em média, o adulto precisa de aproximadamente sete a oito horas de sono a fim de restaurar a energia necessária para lidar com as demandas diárias.

Como tantos de nós, fui condicionado a pensar que preciso de oito a dez horas de sono por noite. Na verdade, às vezes preciso de menos do que isso, e às vezes preciso de mais. A melhor forma de descobrir se as suas necessidades de sono estão sendo atendidas é avaliar como você se sente ao longo do dia. Se estiver dormindo um número suficiente de horas, vai se sentir disposto e alerta o dia inteiro, desde o momento em que acorda até a hora de dormir. Se não for o caso, você vai procurar açúcar ou cafeína no meio da manhã, no meio da tarde ou ambos.

Se for igual à maioria das pessoas, terá dificuldade para se concentrar, pensar com clareza e se lembrar de fatos quando não descansa o suficiente. Você pode notar a ineficácia em casa ou no trabalho e até colocar a culpa desses equívocos na agenda cheia. Quanto mais sono você perde, mais pronunciados ficam os sintomas.

Além disso, a falta de repouso e relaxamento pode afetar o humor. O empreendedorismo não é lugar para irritação! É um fato científico: perder uma boa noite de sono afeta a personalidade, deixando o indivíduo mais ranzinza, menos paciente e mais propenso a descontar a raiva em alguém. Perder o repouso crucial faz com que você seja um fardo, o que não é divertido para ninguém, incluindo você.

A maioria dos adultos diminui as horas de sono para dar conta de mais atividades no dia. Na corrida contra o relógio para cumprir prazos, você pode cair na tentação de economizar no sono para fazer mais. Infelizmente, a falta de sono pode levar o corpo ao desgaste, permitindo que doenças e vírus encontrem a pequena abertura de que precisam para atacar. A privação de sono pode comprometer o sistema imunológico, que fica suscetível a tudo. No fim das contas, a falta de repouso pode causar doenças que levam a perder dias ou até semanas de trabalho. Não é assim que sua empresa vai crescer.

Por outro lado, quando você dorme o suficiente, o corpo funciona como deveria, você se torna agradável com as pessoas ao redor e o sistema imunológico fica mais forte. Consequentemente, você vai fazer mais vendas e atrair mais pessoas para sua empresa. Pense no sono como o período em que você liga um ímã interno. Quando você acordar descansado e de ótimo humor graças aos Salvadores de Vida, vai atrair mais negócios porque um empreendedor feliz também é um empreendedor rico.

Os verdadeiros benefícios do sono

Às vezes as pessoas não percebem como o sono é poderoso. Enquanto você está sonhando feliz da vida, o sono está fazendo um trabalho árduo a seu favor e fornecendo uma série de benefícios incríveis.

O sono melhora a memória. A mente fica surpreendentemente ocupada enquanto você dorme. O sono permite limpar as toxinas nocivas que são subprodutos da função cerebral diurna, fortalecer memórias e praticar habilidades aprendidas enquanto você estava acordado, por meio de um processo chamado consolidação.

"Se você estiver tentando aprender algo, seja físico ou mental, só é possível aprender com a prática até certo ponto", diz o especialista em sono David Rapoport, "mas algo acontece durante o sono que faz você aprender melhor".

Em outras palavras, se você estiver tentando aprender algo novo, seja espanhol, um swing no tênis ou as especificações de um novo produto do seu catálogo, terá resultados melhores quando dormir adequadamente.

O sono pode ajudar a viver mais. Dormir mais ou menos do que deveria está associado a uma expectativa de vida menor, embora não esteja claro se isso é uma causa ou consequência. Em um estudo feito em 2010 com mulheres entre 50 e 75 anos, ocorreram mais mortes nas que dormiam menos de cinco ou mais de seis horas e meia por noite. Obter a quantidade certa de sono é ótimo para a saúde a longo prazo.

O sono aumenta a criatividade. Tenha uma boa noite de sono antes de pegar o cavalete e os pincéis ou a caneta e o papel. Além de consolidar ou fortalecer as lembranças, o cérebro parece reorganizar e reestruturá-las, gerando mais criatividade.

Pesquisadores da Universidade de Harvard e do Boston College descobriram que os componentes emocionais de uma lembrança parecem ficar mais fortes durante o sono, o que pode incitar o processo criativo.

O sono ajuda a obter e manter um peso saudável com mais facilidade. Se você estiver acima do peso, não terá o mesmo nível de energia que as pessoas de peso saudável. Se estiver mudando o estilo de vida para incluir mais exercícios e alterações na dieta, é melhor planejar um horário mais cedo para dormir. Exigir mais do corpo em termos físicos significa que será necessário contrabalançar essas demandas com repouso suficiente.

A boa notícia é que, segundo os pesquisadores da Universidade de Chicago, quem faz dieta e está bem descansado perde até 56% mais gordura que as pessoas com poucas horas de sono, que perderam mais massa muscular. Nesse mesmo estudo, quem fez dieta sentiu mais fome quando dormiu menos. Sono e metabolismo são controlados pelos mesmos setores do cérebro, e, quando você está sonolento, certos hormônios que aumentam o apetite ficam em níveis mais altos no sangue.

Dormir deixa você menos estressado. Quando se trata da saúde, o estresse e o sono estão diretamente relacionados, e ambos podem afetar a saúde cardiovascular. O sono pode reduzir o estresse e controlar a pressão sanguínea. Além disso, o sono afeta o nível de colesterol, que tem papel importante nas doenças cardíacas.

O sono ajuda a prevenir erros e acidentes. A National Highway Traffic Safety Administration divulgou em 2009 que o cansaço era responsável pelo maior número de acidentes fatais com carros que saem da estrada devido ao desempenho do motorista, mais até do que o álcool! A sonolência é incrivelmente subestimada pela maioria das pessoas, mas o custo para nossa sociedade é imenso. A falta de sono afeta o tempo de reação e a capacidade de tomar decisões.

Se o sono insuficiente por apenas uma noite pode fazer tão mal para a capacidade de dirigir quanto o álcool, imagine como isso afeta a capacidade de manter o foco necessário para ser um empreendedor de alto nível.

Obter repouso consistente e eficaz é tão crucial para um desempenho de alto nível quanto o que você coloca ou não em sua dieta. Uma boa noite de sono é a base para um dia de pensamentos claros, energia prolongada e desempenho máximo. Você provavelmente já sabe de quantas horas precisa para estar em seu melhor e que é importante otimizar o sono. Contudo, ainda mais importante do que o número de horas de sono por noite é como você aborda o ato de acordar de manhã.

Se você tirar uma soneca, perdeu. A verdade sobre acordar

A frase "Se você tirar uma soneca, perdeu" pode ter um sentido muito mais profundo do que se imagina. Apertar o botão de soneca e só acordar quando for *obrigado* significa que você espera até a hora em que precisa estar em outro lugar, fazer algo ou cuidar de outra pessoa. Logo, você está começando o dia com resistência. Sempre que você aperta o botão de soneca, está resistindo ao seu dia, à sua vida, a acordar e criar a vida que alega desejar.

De acordo com Robert S. Rosenberg, diretor médico do Centro de Distúrbios do Sono de Prescott Valley e Flagstaff, no Arizona: "Quando você aperta o botão de soneca repetidamente, está fazendo dois desserviços a si mesmo. Primeiro, está fragmentando o pouco de sono extra que conseguiu, então ele é de má qualidade. Segundo, está começando a entrar em um novo ciclo de sono e que não terá tempo suficiente para terminar. Isso pode deixar você grogue ao longo do dia."

Por outro lado, quando você acorda todos os dias com paixão e propósito, faz parte do seleto grupo de conquistadores de alto nível que estão vivendo seus sonhos. E, mais importante: você estará feliz. Ao mudar sua abordagem em relação a acordar de manhã, você vai mudar tudo, mas não precisa acreditar em mim. Acredite nestes famosos madrugadores: Oprah Winfrey, Tony Robbins, Bill Gates, Howard Schultz, Deepak Chopra, Wayne Dyer, Thomas Jefferson, Benjamin Franklin, Albert Einstein, Aristóteles e tantos outros.

Ninguém ensinou que colocar nossas intenções de modo consciente ao acordar de manhã, com um desejo genuíno e até entusiasmo, mudaria toda a nossa vida.

Se você continuar tirando sonecas todos os dias até o último minuto possível e depois sair correndo para o trabalho, ir à escola ou cuidar da família e voltar para casa e relaxar na frente da televisão até a hora de dormir (essa costumava ser minha rotina diária), então preciso preguntar: *quando você vai se desenvolver e virar a pessoa que precisa ser para criar o nível de saúde, riqueza, felicidade, sucesso e liberdade que você quer e merece? Quando vai viver a vida em vez de fazer tudo por obrigação e buscando todas as distrações possíveis para fugir da realidade? E se a sua realidade e sua vida pudessem finalmente ser algo que você mal pode esperar para estar consciente e começar?*

Caso ainda não tenha feito isso, comece a seguir a estratégia de cinco passos à prova de soneca no Capítulo 2 e você estará pronto para vencer. Se seu desafio for dormir na hora certa, tente definir um *alarme* que toque uma hora antes do seu horário ideal de dormir, com o intuito de começar a desacelerar e se preparar para o sono.

Hoje é o melhor dia para abandonar o antigo eu em prol de uma nova pessoa, na qual podemos nos transformar e melhorar a vida que temos, tornando-a a vida que desejamos. Não há melhor livro do que este para ensinar a virar uma pessoa capaz de atrair, criar e manter a vida que sempre desejou.

De quanto sono nós *realmente* precisamos?

O primeiro fato que os especialistas dizem sobre quantas horas de sono nós precisamos é que não existe um número universal. A duração ideal do sono varia de pessoa a pessoa, sendo influenciada por fatores como idade, genética, estresse, saúde geral, quantidade de exercícios físicos, alimentação (incluindo o horário da última refeição) e incontáveis outros fatores.

Por exemplo, se a sua alimentação é composta de fast-food, alimentos processados, excesso de açúcar etc., o corpo terá dificuldade para recarregar as baterias durante o sono, pois vai trabalhar a noite inteira para desintoxicar e filtrar os venenos que você colocou nele. Por outro lado, se você tiver uma dieta saudável e baseada em alimentos vivos, como falamos na seção anterior, então seu corpo vai se recarregar e rejuvenescer com muito mais facilidade. Quem se alimenta bem quase sempre vai acordar renovado, com mais energia e capacidade para ter alto desempenho do que a pessoa que se alimenta mal, mesmo dormindo menos.

Você também precisa ter em mente que dormir demais é um problema. De acordo com a National Sleep Foundation, pesquisas descobriram que longas noites de sono (com nove horas ou mais) estão associadas ao aumento da morbidade (doenças e acidentes) e até da mortalidade. Essa pesquisa também descobriu que variáveis como depressão estavam significativamente associadas a muitas horas de sono.

Como existe uma grande variedade de evidências contrárias, além de incontáveis estudos dizendo que a quantidade de sono necessária varia de pessoa para pessoa, não vou defender a existência de uma abordagem certa para o sono. Prefiro compartilhar meus resultados no mundo real, obtidos com a experiência, experimentação pessoal e estudando os hábitos de sono de algumas das maiores mentes da história. Aviso desde já: algumas dessas informações podem ser um tanto polêmicas.

Como acordar com mais energia (dormindo menos)

Ao experimentar várias durações de sono por conta própria, além de aprender com outros praticantes de *O milagre da manhã* que testaram essa teoria, Hal descobriu que a forma como o sono afeta a biologia humana é amplamente influenciada pela *crença* pessoal em relação às horas de sono de que precisamos. Em outras palavras, a maneira como nos sentimos ao acordar de manhã não se baseia apenas em quantas horas de sono nós tivemos, sendo afetado significativamente pela ideia de como iríamos nos sentir quando acordássemos.

Por exemplo, se você *acredita* que necessita de oito horas de sono para descansar, mas está indo dormir à meia-noite e precisa acordar às seis, provavelmente vai dizer a si mesmo: "Caramba, vou dormir só seis horas esta noite, mas precisava de oito. Vou acordar exausto." Então, o que acontece quando o alarme toca, você abre os olhos e percebe que está na hora de levantar? Qual o seu primeiro pensamento? O mesmo que teve antes de dormir! "Caramba, eu só dormi seis horas. Estou exausto." É uma profecia autorrealizável e sabotadora. Se você disser a si mesmo que vai acordar cansado, isso vai acontecer. Se acreditar que precisa de oito horas de sono para ficar bem, não vai aceitar menos que isso. Mas e se você mudar suas crenças?

A conexão entre a mente e o corpo é poderosa, e acredito que devemos assumir a responsabilidade por todos os aspectos da vida, incluindo o poder de acordar todo dia cheios de energia, independentemente das horas de sono que conseguimos.

Então, de quantas horas de sono você *realmente* precisa? Você me diz. Se tem dificuldade para dormir ou manter o sono e considera isso preocupante, recomendo o livro de Shawn Stevenson, *Sleep Smarter: 21 Essential Strategies to Sleep Your Way into a Better Body, Better Health and Bigger Success*. É um dos melhores trabalhos sobre o sono que conheço, profundamente embasado.

3. Descanse para recarregar

A contrapartida consciente do sono é o *descanso*. Embora algumas pessoas usem os termos como se fossem idênticos, eles são bem diferentes. Você pode dormir oito horas, mas, se estiver ocupado pelo resto do dia, não terá tempo para pensar ou recarregar as baterias físicas, mentais e emocionais. Quando você trabalha o dia inteiro e corre de uma atividade para outra, terminando com um jantar rápido e dormindo tarde, não se permite ter um período de descanso.

Da mesma forma, passar os fins de semana levando os filhos ao futebol, vôlei ou basquete e depois saindo para ver um jogo de futebol, ir à igreja, cantar no coral, ir a várias festas de aniversário etc. pode fazer mais mal do que bem. Embora cada uma dessas atividades seja ótima individualmente, ter uma agenda lotada não deixa tempo para recarregar.

Nossa cultura perpetua a crença de que somos mais valiosos, importantes ou estamos mais vivos quando vivemos dias ocupados e empolgantes. Na verdade, somos tudo isso quando temos paz interior. Apesar das melhores intenções em busca de uma vida equilibrada, o mundo moderno exige que estejamos conectados e sejamos produtivos quase o tempo todo, e essas demandas podem nos esgotar em termos emocionais, espirituais e físicos.

E se, em vez de estar sempre ocupado, você valorizasse um período consciente de quietude em um espaço sagrado, fazendo um silêncio deliberado? Como isso poderia melhorar sua vida, seu bem-estar físico e emocional e a capacidade de ter sucesso nos negócios?

Pode parecer absurdo tirar um tempo de folga quando sua lista de tarefas a cumprir está imensa, mas a verdade é que descansar mais é um pré-requisito para o trabalho produtivo.

Pesquisas mostram que o descanso acaba com o estresse. Práticas como ioga e meditação também diminuem a frequência cardíaca, a pressão sanguínea e o consumo de oxigênio, além de reduzir os riscos de hipertensão, artrite, insônia, depressão, infertilidade, câncer e ansiedade. Os benefícios espirituais do descanso são profundos. Desacelerar e ficar quieto significa que você poderá mobilizar a sabedoria, conhecimento e voz interiores. O repouso e seu parente próximo, o relaxamento, permitem a reconexão com o mundo ao redor, abrindo caminho para o sossego e o contentamento na vida.

E, sim, caso esteja se perguntando, você será mais produtivo, mais legal com os amigos e com os parentes (além de colegas, funcionários e clientes) e muito mais feliz. Descansar é como deixar a terra em repouso em vez de plantar e colher o tempo todo. Nossa bateria pessoal precisa ser recarregada, e o melhor jeito de fazer isso é pura e simplesmente descansando.

Jeitos fáceis de descansar

A maioria de nós confunde descanso com recreação. Para descansar, fazemos atividades como trilhas, jardinagem, exercícios físicos ou até se divertir em reuniões sociais. Qualquer uma dessas atividades só pode ser considerada descanso por serem folgas do trabalho, mas na verdade elas não devem ser definidas dessa forma.

O descanso é uma espécie de sono desperto que você vive enquanto está alerta e consciente. Ele é a ponte essencial para o sono, e ambos são conquistados da mesma forma: abrindo espaço e permitindo que eles aconteçam. Todo organismo vivo precisa de descanso, incluindo você. Quando não reservamos tempo para descansar, o corpo acaba pagando o preço. A seguir estão algumas opções fáceis para obter o descanso de que seu corpo precisa.

- Se você estiver investindo cinco ou mais minutos de manhã durante os Salvadores de Vida para meditar ou ficar em silêncio, já é um ótimo começo.

- Você pode reservar os domingos para descansar (se o domingo for um dia de trabalho para você, escolha outro dia da semana). Nesse dia de folga, passe um tempo sozinho, lendo ou vendo um filme, ou faça algo tranquilo com a família, como preparar uma refeição juntos, brincar com seus filhos e apreciar a companhia um do outro.
- Quando estiver dirigindo, fique em silêncio: desligue o rádio e mantenha-se longe do celular.
- Dê uma volta sem os fones de ouvido. Até uma breve caminhada ao ar livre sem intenção ou objetivo de queimar calorias pode funcionar.
- Desligue a televisão. Reserve meia hora, uma hora ou até metade do dia para o silêncio. Tente fazer algumas respirações conscientes em que você se concentra em inspirar e expirar ou no espaço entre as respirações.
- Beba uma xícara de chá com atenção plena, leia algo inspirador, escreva em seu diário, tome um banho quente ou receba uma massagem.
- Faça um retiro. Pode ser com sua equipe, um grupo de amigos, o pessoal da igreja ou qualquer comunidade de que você faça parte, sua família, cônjuge ou sozinho ao ar livre.

Até mesmo tirar uma soneca é um jeito poderoso de descansar e recarregar. Se eu estiver me sentindo esgotado durante o dia por algum motivo e ainda tiver muitas horas pela frente, não hesito em apertar o botão de reiniciar com uma soneca poderosa de vinte ou trinta minutos. Cochilar também pode melhorar o seu padrão de sono.

É bom definir um período específico para o descanso. Deixe os limites bem claros para poder aproveitá-lo sem interrupções.

O hábito de descansar

Sendo empreendedor, você está sempre na trincheira. É preciso agendar o tempo para descansar e cuidar de si do mesmo jeito que agenda os outros compromissos de sua vida. A energia que você consegue vai recompensá-lo muito mais.

O descanso certamente não foi ensinado na escola e talvez não seja natural no começo. Por ser um empreendedor motivado e determinado, você pode descobrir que precisa transformá-lo em prioridade consciente. Aprender técnicas de atenção plena e trazê-las para a vida diária é um jeito eficaz de descansar profundamente o corpo, a mente e o espírito. Práticas como meditação, ioga e silêncio deliberado no meio do dia são formas poderosas de se voltar para dentro e descansar, sobretudo quando existe o compromisso de praticá-los regularmente.

Quanto mais você integrar períodos de descanso e silêncio à vida diária, maior será o resultado. Durante os períodos mais tranquilos, talvez você não precise de tanto descanso, mas os períodos de intensidade (como bater uma meta difícil ou cumprir um prazo apertado) podem exigir mais descanso e silêncio que o usual.

Combinar exercícios físicos, decisões alimentares saudáveis, sono consistente e o descanso dará um salto imenso na direção certa para você e sua empresa. Lembre-se: ao tentar adotar essas três práticas de comer, dormir e descansar com mais eficácia, você pode achá-las desconfortáveis no começo. O corpo e a mente podem encontrar resistência. Não fuja do desconforto e comprometa-se a ter uma vida saudável.

Colocar a engenharia de energia em prática

Primeiro passo: comprometer-se a comer e beber para obter energia e priorizar as consequências dos alimentos que consome em vez do sabor. Após o primeiro copo d'água matinal, é bom comer algum tipo de gordura saudável para abastecer o cérebro. Experimente incorporar uma nova refeição saudável composta de alimentos *vivos* a sua dieta todos os dias. Em vez de comer batatas fritas industrializadas, experimente chips de couve crespa ou frutas orgânicas frescas. E lembre-se de carregar uma garrafa cheia de água com você o tempo todo para se hidratar.

Segundo passo: dormir e acordar para vencer ao se comprometer com um horário diário regular para começar e terminar o sono. Com base no horário em que você acorda para fazer o *Milagre da manhã*, determine o horário de dormir para garantir o descanso adequado. Mantenha um horário de dormir específico por algumas semanas para que o corpo se adapte. Se precisar de um pequeno estímulo para levantar da cama no horário certo, configure um alarme recorrente para começar a desacelerar uma hora antes de dormir. Após algumas semanas, fique à vontade para brincar com a quantidade de horas reservadas para o sono a fim de otimizar o nível de energia.

Terceiro passo: incorporar tempo em sua agenda diária para descansar e recarregar, seja meditando, tirando um cochilo, saindo para uma caminhada ou fazendo algo que dê alegria e rejuvenescimento. Lembre-se: Hal tira duas horas de almoço por dia, garantindo um tempo para jogar basquete ou praticar *wakeboard*, duas atividades que ele adora e que recuperam totalmente suas baterias. Que atividades você pode acrescentar ao seu dia que vão surtir o mesmo efeito? Além da rotina do *Milagre da manhã*, agende períodos diários e regulares para descansar e recarregar as pilhas.

Agora que você tem um plano para o corpo, vamos direcionar a atenção para o foco.

MILIONÁRIOS DA MANHÃ

Tim Ferriss, autor do livro de sucesso Trabalhe 4 horas por semana, *começa o dia arrumando a cama e depois meditando por dez a vinte minutos. Em seguida, faz exercícios leves por um breve período e escreve em um diário por cinco a dez minutos.*

Capítulo 12

TERCEIRO PRINCÍPIO NADA ÓBVIO DOS MILIONÁRIOS:

FOCO INABALÁVEL

O guerreiro de sucesso é o homem comum que tem foco preciso como um laser.

— Bruce Lee, artista marcial e ator de renome mundial

Todo mundo conhece aquela pessoa. Você sabe, *aquela* pessoa. A que corre maratonas, treina o time de futebol infantil, faz trabalho voluntário na escola do filho e talvez ainda escreva um romance por fora. E o que mais? É uma empreendedora incrível, recebe muita atenção da imprensa e ganha prêmios, além de expandir a empresa de modo excepcional, ano após ano. Aposto que você conhece alguém assim, que parece incrível e inexplicavelmente *produtivo*.

Ou talvez você conheça *esta* pessoa: o empreendedor que gerencia uma empresa de mais de um milhão de dólares, mas nunca parece trabalhar nela. Ele está sempre jogando golfe ou passeando no lago, mesmo em um dia útil. Toda vez que você o encontra, ele fala das férias que acabou de tirar ou das que estão por vir. Ele está em boa forma física, sempre feliz e faz toda pessoa que encontra se sentir importante.

Você pode conhecer essas duas pessoas, mas o que provavelmente não sabe é como elas conseguem fazer tudo isso. Talvez você acredite que elas tenham sorte, um dom. Pode também ter pensado que elas têm os contatos certos, a personalidade certa ou que nasceram com superpoderes.

Embora tudo isso possa ajudar a conquistar o status de milionário, sei por experiência própria que o verdadeiro superpoder de cada pessoa incrivelmente produtiva é o *foco inabalável*: a capacidade de manter a clareza em relação a suas maiores prioridades, além de pegar toda a energia que você aprendeu a gerar, canalizá-la no que mais importa e mantê-la, não importa o que aconteça ao seu redor ou de como você se sinta. Essa capacidade é crucial para ter um desempenho de alto nível.

O foco é outra forma de alavancar seu tempo, exatamente como a priorização, conforme discutimos na "Quarta lição: como se tornar super". Quando você canalizar o poder do foco, não vai se transformar em super-humano, mas poderá conquistar resultados que parecem até super-humanos. E os motivos para isso são surpreendentemente fáceis de entender.

- **O foco inabalável deixa você mais eficaz.** Ser eficaz não significa fazer mais ou fazer tudo mais rápido. Significa fazer o *certo* e se envolver nas atividades que o movam na direção dos seus objetivos.
- **O foco inabalável deixa você mais eficiente.** Ser eficiente significa fazer tudo com o mínimo de recursos, como tempo, energia ou dinheiro. Toda vez que a mente se afasta dos seus objetivos, você desperdiça tudo isso, sobretudo o tempo. Na busca pelos nossos objetivos, o tempo é fundamental, então cada momento em que o foco se abala é um momento perdido.
- **O foco inabalável aumenta a produtividade.** Entenda: o fato de estar *ocupado* não significa que você está sendo produtivo. Na verdade, quem enfrenta dificuldades financeiras com frequência está entre os mais ocupados. É comum confundir estar ocupado e envolvido em atividades que não geram resultados (como verificar e-mails ou

lavar o carro ou reorganizar a lista de tarefas pela 12ª vez este mês) com ser produtivo. Quando você tiver uma visão clara, identificar as suas maiores prioridades e fizer as atividades mais alavancadas de modo consistente, deixará de ser ocupado e passará a ser produtivo. Ao dar os passos que estamos prestes a explicar, você vai desenvolver o foco inabalável e se juntar ao grupo das pessoas mais produtivas do mundo.

Se você combinar esses benefícios, vai conquistar *muito* mais. Contudo, talvez o maior valor do foco seja que, em vez de espalhar sua energia por múltiplas áreas da vida e obter resultados medíocres, **você vai liberar o potencial inexplorado e *também* melhorar de vida.**

Agora vamos convocar *O milagre da manhã* para essa tarefa. Aqui estão quatro passos que você precisa percorrer em seu *Milagre da manhã* para ter foco prolongado.

1. Encontrar o(s) melhor(es) ambiente(s) para o foco inabalável

Vamos começar: *você precisa de um ambiente que ajude o seu compromisso com o foco inabalável*. Pode ser o quarto vazio da casa ou o seu quintal. Não importa o quanto seja simples, você precisa de um lugar a que possa ir para se concentrar.

Uma parte do motivo para isso é logística simples. Se os seus materiais estiverem espalhados entre o porta-malas do carro e o balcão da cozinha, você não conseguirá ser eficaz. O motivo maior, contudo, é que **ter um lugar onde você ganha foco ativa o hábito de se concentrar.** Sente-se à mesma mesa para fazer um trabalho excelente no mesmo horário todos os dias e logo você vai se sentir mais concentrado só de se sentar naquela cadeira.

Se você viaja muito, então o carro, a mala, os quartos de hotel e talvez cafés aleatórios também façam parte do seu espaço de foco. Crie hábitos para fazer as malas e trabalhar em viagens e você conseguirá ativar o foco do mesmo jeito que faz no escritório. Quando você está preparado e sempre tem exatamente o que precisa consigo, é possível trabalhar estando em qualquer lugar.

2. Livrar-se da bagunça que desconcentra

A bagunça é a assassina do foco, e enfrentá-la é a nossa próxima parada na viagem. Existe um motivo pelo qual o livro de Marie Kondo *A mágica da arrumação* é um dos livros de não ficção mais vendidos da última década. Organizar tanto seu espaço físico quanto o mental vai inspirar uma mentalidade calma e motivada.

Existem dois tipos de bagunça, a mental e a física, e todos nós temos as duas. Nós carregamos pensamentos desarrumados na cabeça, como este: *O aniversário da minha irmã está chegando. Eu deveria comprar um presente e um cartão para ela. Eu me diverti muito no jantar outro dia. Preciso mandar uma mensagem de agradecimento ao anfitrião. Preciso responder o e-mail do meu novo cliente antes de sair do escritório hoje.*

Então existem os objetos físicos que acumulamos: pilhas de papéis, revistas velhas, anotações em post-its, roupas que nunca usamos, a pilha de lixo na garagem. As bugigangas, quinquilharias e objetos que acumulamos enquanto vivemos.

A bagunça de todo tipo cria o equivalente a uma névoa pesada: para ter foco, é preciso conseguir *ver*. Para limpar sua visão, você vai querer tirar esses itens da cabeça e reuni-los para poder aliviar o estresse mental de tentar se lembrar deles. E depois você vai querer tirar esses itens físicos do caminho.

Aqui está um processo simples para ajudá-lo a limpar a neblina e criar a clareza de que precisa para se concentrar.

- **Crie uma grande lista de tarefas.** Você provavelmente tem muito que ainda não escreveu, então comece por isso. Adicione o conteúdo de todos aqueles post-its que bagunçam a sua mesa, tela de computador, agenda, bancadas da cozinha e geladeira (existem outros lugares?). Coloque essas anotações como itens de ação em um lugar central, seja um diário físico ou uma lista em seu celular para que você possa limpar seu armazém mental. Sente-se melhor? Continue, estamos apenas começando.

- **Faça uma limpeza no seu espaço de trabalho.** Agende meio período (ou um dia inteiro) para olhar cada pilha de papel e arquivo cheio de documentos e a bandeja cheia de cartas fechadas. Você entendeu a ideia. Jogue fora ou rasgue o que não precisa. Digitalize ou arquive o que for importante. Anote em seu diário o que precisa de sua atenção e não pode ser delegado, depois escolha um momento em sua agenda para lidar com isso.
- **Organize sua vida.** Sempre que possível, limpe e arrume todas as gavetas, armários, gabinetes ou outro espaço que não dê a você uma ideia de calma e paz quando você o vir. Isso inclui o interior e o porta-malas do seu carro. Pode levar algumas horas ou alguns dias. Agende um breve período a cada dia até tudo estar terminado. Dizer "Eu só preciso de um fim de semana para organizar tudo" é a certeza de não começar nunca. Pegue uma gaveta e comece por ela. Você vai ficar surpreso com o quanto esses pequenos períodos de trabalho se acumulam. Se quiser mais sugestões, experimente o livro de S. J. Scott e Barrie Davenport chamado *Organize em 10 minutos*.

Organizar-se em termos físicos e mentais vai permitir que você se concentre de um jeito que nunca imaginou ser possível. Deixa a sua energia sem outro lugar para ir, exceto em direção ao que *importa*.

3. Proteger-se de interrupções

Além de gerenciar minha empresa, estou escrevendo este livro e também sou casado e tenho filhos. Como você pode imaginar, meu tempo tem importância crucial para mim, e tenho certeza de que o mesmo acontece com você.

Para evitar distrações e garantir que minha atenção se concentre na tarefa que estou executando, o celular quase sempre está no modo Não Perturbe, que bloqueia todas as ligações, mensagens ou notificações de e-mails e redes sociais. Foi algo simples que aumentou dramaticamente minha produtividade diária e a capacidade de manter o foco na tarefa da vez. Recomendo retornar telefonemas e e-mails em horários designados antecipadamente de acordo com sua agenda, e não com a de outras pessoas.

Você pode aplicar a mesma filosofia e estratégias a quaisquer notificações, alertas e/ou atualizações de redes sociais, além de sua disponibilidade para colegas, funcionários e até clientes. O modo Não Perturbe é mais do que uma configuração em seu telefone. Informe à sua equipe quando você estiver disponível e quando ela precisa deixar você trabalhar em paz.

4. Construir uma base para o foco inabalável

Quando você identificar o seu lugar de foco e começar o processo de organizar a vida, deverá vivenciar um aumento notável na concentração ao limpar a névoa em sua mente.

Agora é hora de levar tudo a outro patamar. Eu uso três perguntas para melhorar o foco.

- O que está funcionando e que eu deveria *continuar fazendo* (ou fazer mais)?
- O que preciso *começar a fazer* para acelerar meus resultados?
- O que preciso *parar de fazer* imediatamente, pois está me impedindo de avançar?

Se você puder responder a essas três perguntas e agir motivado pelas respostas, vai descobrir um ritmo de produtividade que provavelmente nunca imaginou ser possível. Vamos analisar cada uma das perguntas em detalhes.

O QUE ESTÁ FUNCIONANDO E QUE VOCÊ DEVERIA *CONTINUAR FAZENDO* (OU FAZER MAIS)?

Vamos encarar os fatos. Nem todas as táticas e estratégias são criadas da mesma maneira. Algumas funcionam mais que outras. Existem as que funcionam por um tempo e depois se tornam menos eficazes, enquanto outras até pioram a situação.

A esta altura, você provavelmente já está fazendo muitas atividades certas e vai concordar com a cabeça ao ler as próximas seções. Anote tudo o que estiver fazendo e que estiver dando resultado. Talvez você já esteja usando a função Não Perturbe ou fazendo o desafio de aprimorar a forma física e se sentindo mais forte a cada dia, por exemplo. Coloque isso na lista do que está funcionando.

Escolha o que contribui para aumentar o sucesso como um todo e as atividades realizadas que estão diretamente relacionadas a ter mais sucesso. Pense na regra 80/20 (originalmente chamada de Princípio de Pareto), segundo a qual aproximadamente 80% dos resultados vêm de 20% dos esforços. Que 20% de suas atividades afetam 80% dos seus resultados? É fácil manter o que você *gosta* de fazer, mas esta é a realidade: é preciso garantir que as atividades realizadas estejam diretamente relacionadas ao empreendimento da vez, além de colocar dinheiro em sua conta bancária.

No fim deste capítulo, você terá a oportunidade de registrar em seu diário as atividades que estão dando certo. (Espero que começar a fazer os Salvadores de Vida esteja entre elas.) É preciso *continuar fazendo* o conteúdo dessa lista até substituí-lo por algo ainda mais eficaz.

Em cada uma dessas atividades que precisam continuar sendo feitas, seja totalmente franco em relação ao *que você precisa fazer mais* (em outras palavras, o que você não está fazendo o suficiente no momento). Se for algo que você deveria estar fazendo, mas que não o está levando aos objetivos mais importantes, a atividade não merece estar em sua lista. O objetivo aqui não é a perfeição. Trabalhar demais no fim das contas é improdutivo e tira o foco do que realmente importa.

Continue fazendo o que está funcionando e, dependendo do quanto deseja conquistar, faça *ainda mais* essas atividades que estão dando resultado.

O QUE VOCÊ PRECISA *COMEÇAR* A FAZER?

Depois de ter anotado o que está funcionando e determinado o que precisa fazer mais, é hora de decidir o que mais você pode fazer para acelerar o sucesso.

Tenho algumas sugestões excelentes para você poder começar com tudo.

- Revisar seus objetivos e planos para criar riqueza, conforme discutido em "Terceira lição: seu plano de voo".
- Entender sua posição financeira diária e semanal, tanto em termos de finanças pessoais quanto de atividades empresariais.
- Fazer exercícios físicos regularmente.
- Consumir alimentos que dão energia e ajudam a manter a boa saúde.
- Criar bons hábitos em relação ao sono e descanso, de acordo com o capítulo sobre engenharia de energia.
- Pensar nas atividades que você *não* está fazendo e que afetariam diretamente a sua renda ou o lucro da sua empresa.
- Planejar a primeira ou próxima contratação. Pode ser um assistente pessoal, um assistente virtual ou estagiário. Perceba que contratar alguém para liberar seu tempo é um *investimento*, não uma despesa.
- Criar uma *agenda básica*, aquele cronograma semanal ideal e recorrente com horários reservados, conforme discutido em "Primeiro princípio nada óbvio dos milionários: liderança pessoal".

Não se sinta sobrecarregado. Lembre-se: Roma não foi construída em um dia. Não é preciso identificar 58 itens e colocá-los em prática amanhã. A vantagem de ter uma prática diária de escrita em *O milagre da manhã* é que você pode registrar tudo o que deseja fazer. Então adicione uma ou duas atividades por vez a sua caixa de ferramentas para o sucesso até elas virarem hábitos. A melhora gradativa se acumula de um jeito mágico.

O QUE VOCÊ PRECISA *PARAR* DE FAZER?

A esta altura, você provavelmente acrescentou alguns itens à lista de tarefas para começar a fazer. Se estiver se perguntando de onde virá o tempo para isso, este pode ser o seu passo favorito de todos. É hora de abandonar o que você está fazendo e não está dando certo, a fim de abrir espaço para o que funcione.

Você certamente faz uma série de atividades diárias que sentirá alívio ao parar de fazer, gratidão por delegá-las a outra pessoa ou se livrar delas de vez.

Por que não parar de:

- Ingerir alimentos que esgotam sua energia, atrapalhando sua vida e motivação?
- Fazer tarefas domésticas desnecessárias?
- Responder mensagens de texto e e-mails imediatamente?
- Atender ao telefone (deixe cair na caixa postal e responda quando for melhor para você)?
- Ler e publicar em redes sociais?
- Assistir a várias horas de televisão por dia?
- Criticar-se ou preocupar-se com o que não pode mudar?
- Fazer tarefas repetitivas como pagar contas, fazer compras várias vezes por semana ou até limpar a casa?

Ou, se você quiser melhorar dramaticamente o foco em um passo simples, experimente este aqui: *pare de responder a notificações eletrônicas como uma foca treinada.* Você precisa mesmo ser alertado toda vez que recebe mensagens, e-mails e notificações das redes sociais? Creio que não. Entre nas configurações do telefone, tablet e computador e desative TODAS as notificações.

A tecnologia existe para ser usada a seu favor, e é possível assumir o controle sobre ela neste minuto. A frequência de verificação da caixa postal, mensagens de texto e e-mails pode e deve ser decidida por *você*. Convenhamos, a maioria de nós não tem empregos em que alguém pode morrer se não respondermos imediatamente uma ligação, mensagem de texto ou e-mail. Não precisamos estar disponíveis o tempo todo, exceto para nossos cônjuges e filhos. Na verdade, a maioria dos smartphones agora tem a opção de silenciar todas as ligações, *exceto as de contatos que você define previamente,* como familiares. Uma alternativa eficaz para isso é agendar horas no dia para se atualizar, saber o que precisa de sua atenção imediata, além de quais itens podem ser acrescentados a sua agenda ou grande lista de tarefas e o que pode ser apagado, ignorado ou esquecido.

CONSIDERAÇÕES FINAIS SOBRE O FOCO INABALÁVEL

O foco é como um músculo que você constrói ao longo do tempo e é particularmente relevante para construir riqueza. Todo milionário que conheço desenvolveu a capacidade de manter o foco, e os que têm dificuldade em relação a isso praticaram técnicas para melhorar, além de contratarem pessoas para ajudar a se manterem na linha e sem distrações quando eles mais precisam.

Assim como acontece com qualquer músculo, é preciso trabalhar para aumentar a capacidade de concentração. Não se critique tanto caso enfrente dificuldades e siga em frente, pois tudo ficará mais fácil. Talvez leve um tempo para aprender a se concentrar, mas você vai ficar melhor a cada dia. No fim das contas, tudo se resume a *se transformar* em alguém que consegue se concentrar, e isso começa quando você se vê como tal. Recomendo adicionar algumas linhas às suas afirmações sobre o compromisso com o foco inabalável e o que você vai fazer todo dia para desenvolvê-lo.

A maioria das pessoas ficaria chocada em descobrir que gasta pouquíssimo tempo diário em atividades importantes e relevantes. Reserve sessenta minutos hoje ou nas próximas 24 horas para se concentrar *na sua tarefa mais importante* e você ficará surpreso com a produtividade e com a sensação de fortalecimento e realização.

A esta altura, você já acrescentou atitudes e áreas de foco incríveis ao seu arsenal de sucesso. Após terminar as etapas abaixo, vá para a próxima seção, onde vamos afiar sua capacidade de construir riqueza e combiná-las com os Salvadores de Vida de um jeito que você provavelmente nunca imaginou! Lembre-se dos passos que discutimos neste capítulo sobre a importância do foco inabalável e as formas de aumentá-lo em sua vida.

COLOCANDO O FOCO INABALÁVEL EM AÇÃO

Primeira etapa: escolher ou criar o ambiente ideal para alcançar o foco inabalável. Se o seu foco for excelente quando estiver trabalhando em um local público, como um café, agende alguns intervalos de tempo no Starbucks, por exemplo. Se você trabalha em casa, coloque em prática a segunda etapa abaixo.

Segunda etapa: limpar sua bagunça física e mental. Comece agendando meio dia para limpar o espaço de trabalho e depois limpe a mente. Organize todas as pequenas listas de tarefas a cumprir que estão paradas em sua cabeça e crie uma grande lista de tarefas no computador, celular ou diário.

Terceira etapa: proteger-se de interrupções, tanto da sua parte, desativando as notificações, quanto de outras pessoas, colocando o celular em modo Não Perturbe e informando quando o seu círculo de influência precisa deixá-lo sozinho durante os intervalos agendados.

Quarta etapa: construir suas listas de foco inabalável. Pegue seu diário ou abra uma nota no celular ou computador e crie as três listas a seguir:

- O que preciso continuar fazendo (ou fazer mais)
- O que preciso começar a fazer
- O que preciso parar de fazer

Comece a anotar tudo o que vier à cabeça. Depois revise as listas e determine quais atividades podem ser automatizadas, terceirizadas ou delegadas. Quanto tempo você passa nas atividades principais de produção de renda e crescimento da empresa? Repita essas perguntas até obter clareza em relação ao *seu processo* e comece a reservar horários na agenda para gastar aproximadamente 80% do seu tempo em tarefas que geram resultados. Delegue o resto.

Agora você tem uma boa noção de como incorporar os Salvadores de Vida ao seu trabalho e vida pessoal para afetar todas as partes do seu mundo. Milionário ou não, você vai começar a prosperar quando reservar um tempo a cada manhã para colocar esses princípios nada óbvios para trabalhar.

Agora é hora de analisar em detalhes os atributos essenciais dos milionários e saber como as manhãs podem ajudar a transformá-los em realidade.

MILIONÁRIOS DA MANHÃ

Aubrey Marcus, CEO da Onnit, começa os primeiros vinte minutos de cada dia com água, luz e movimento.

Como descreveu em seu livro de sucesso Own the Day, Own Your Life, *ele abre o dia com o Coquetel Matinal de Minerais, composto de 400ml de água filtrada, três gramas de sal marinho e um quarto de suco de limão para se hidratar e repor os minerais perdidos durante o sono.*

Depois, ele se expõe à luz para acertar o ritmo circadiano, seja diretamente do sol ou por um dispositivo de luz azul, como o Human Charger, da marca Valkee.

Por fim, ele se movimenta e faz exercícios físicos por um minuto para acordar os mecanismos internos que vão lhe permitir funcionar a pleno vapor e conquistar o dia.

Capítulo 13

O DESAFIO DE *O MILAGRE DA MANHÃ* PARA MUDANÇA DE VIDA EM TRINTA DIAS

HAL ELROD

"'A vida é curta' é algo tão repetido que virou clichê, mas agora é verdade. Você não tem tempo para ser infeliz e medíocre. Isso não só é inútil como também doloroso."

— Seth Godin, autor que está entre os best-sellers do *New York Times*

Vamos brincar de advogado do diabo por um momento. *O milagre da manhã* pode realmente transformar sua vida ou seus negócios em apenas trinta dias? Será que algo pode ter um impacto tão significativo assim tão depressa?

Para começar, leve em conta que *O milagre da manhã* já fez isso para centenas de pessoas. Se funcionou para elas, pode e vai funcionar para você também.

Incorporar ou mudar qualquer hábito exige um período de aclimatação, então não espere que seja fácil desde o primeiro dia. Contudo, ao se comprometer a seguir em frente, começar cada dia com *O milagre da manhã* e usar os Salvadores de Vida logo vai se transformar em hábitos básicos e possibilitar todas as outras mudanças. Lembre-se: conquiste as manhãs e se prepare para ganhar o dia.

Os primeiros dias de mudança de hábito parecem insuportáveis, mas são apenas temporários. Embora haja muito debate sobre quanto tempo leva para colocar um novo hábito em prática, as centenas de milhares de pessoas que aprenderam a derrotar o botão de soneca e agora acordam cedo todo dia para *O milagre da manhã* podem confirmar o sucesso dessa estratégia de três fases.

De insuportável a imbatível
A estratégia de três fases para colocar qualquer hábito em prática em trinta dias

Esta abordagem é a mais simples e eficaz para colocar em prática e fixar qualquer novo hábito em apenas trinta dias. Isso vai formar a mentalidade e o mapa que você vai usar ao construir a nova rotina.

FASE 1: INSUPORTÁVEL (1º AO 10º DIA)

Qualquer nova atividade exige o maior esforço consciente no começo, e o mesmo vale para levantar cedo. Na primeira fase, você está lutando contra hábitos matinais existentes que estão entranhados em *quem você é* há vários anos, então isso vai exigir um pouco de força de vontade da sua parte.

Nessa fase, é o poder da mente sobre o corpo. Se você concentrar a mente, vai dominar o corpo! O hábito de apertar o botão de soneca e não aproveitar o dia é o mesmo que o impede de virar o superastro que você sempre soube que poderia ser. Então, continue firme e siga em frente.

Ao lutar contra padrões existentes e crenças limitantes nessa fase, você vai descobrir quem realmente é e o que pode fazer. É preciso se esforçar, manter o compromisso com sua visão e continuar firme. Acredite em mim e nos milhares de pessoas que viraram matutinas quando dizemos que você *consegue*!

Sei por experiência própria: no quinto dia pode ser difícil se dar conta de que ainda faltam 25 para completar a transformação e você virar uma pessoa matutina. Tenha em mente que no quinto dia você já terminou mais da metade da primeira fase e continua firme no caminho. Lembre-se: seus sentimentos iniciais não vão durar para sempre. Você deve perseverar porque em pouco tempo vai obter todos os resultados que procura e se transformar na pessoa que sempre desejou ser!

FASE DOIS: DESCONFORTÁVEL (11º AO 20º DIA)

Seja bem-vindo à segunda fase, quando o corpo e a mente começam a se adaptar. Você nota que levantar começa a ficar um pouco mais fácil, mas ainda não é um hábito, pois não faz parte de quem você é e provavelmente não vai parecer natural.

A maior tentação nessa fase é se recompensar com uma pausa, sobretudo nos fins de semana. Contudo, tirar o sábado e o domingo para dormir até tarde só vai dificultar mais quando a segunda-feira chegar e você estiver começando a acordar cedo.

Uma pergunta publicada com frequência na Comunidade de *O milagre da manhã* é: "Quantos dias por semana vocês levantam cedo para *O milagre da manhã*?" A resposta mais comum sempre gira em torno de: *Comecei tirando o fim de semana de folga, mas, quando acordei tarde no primeiro sábado e domingo, senti que tinha desperdiçado o que teria sido um* Milagre da manhã *produtivo. Então, agora eu faço todos os dias.*

No fim das contas, não há pressão. Faça o que for melhor para você e se concentre no *progresso* em vez da perfeição.

A melhor parte da segunda fase é que a primeira já passou. Você superou o período mais difícil, então continue em frente! Por que raios você iria querer enfrentar a primeira fase de novo ao tirar um ou dois dias de folga? Acredite: não é uma boa ideia, então fuja disso! Mantenha-se firme em seu compromisso.

FASE TRÊS: IMBATÍVEL (21º AO 30º DIA)

A esta altura, acordar cedo não só é um hábito como também faz parte de *quem você é*, da sua identidade. O corpo e a mente se acostumaram a esse novo jeito de ser. Os próximos dez dias serão importantes para consolidar o hábito em você e em sua vida.

Ao praticar *O milagre da manhã* , você também vai ganhar perspectiva em relação às três fases da mudança de hábito. Isso significa que agora será possível identificar, desenvolver e adotar qualquer hábito que lhe sirva, incluindo os hábitos dos milionários da manhã que incluímos neste livro.

Agora que você aprendeu a estratégia mais simples e eficaz para colocar em prática e manter qualquer novo hábito em trinta dias, já conhece a mentalidade e abordagem necessárias para terminar o Desafio de *O milagre da manhã* para mudança de vida em trinta dias. A única exigência é o compromisso de começar e ir até o fim.

PENSE NAS RECOMPENSAS

Ao se comprometer com o Desafio de *O milagre da manhã* para mudança de vida em trinta dias, você vai criar a base para o sucesso em todas as áreas, pelo resto da vida. Ao acordar e praticar o *Milagre da manhã*, você vai começar o dia com níveis extraordinários de disciplina (capacidade fundamental para cumprir seus compromissos), clareza (a força de se concentrar no que é mais importante) e desenvolvimento pessoal (talvez o fator mais determinante e significativo para o sucesso). Nos próximos trinta dias, essa base vai ajudá-lo a se transformar na pessoa necessária para alcançar os níveis extraordinários de sucesso pessoal, profissional e financeiro que deseja.

Você também vai transformar *O milagre da manhã* de um conceito com o qual está empolgado (e talvez um pouco nervoso) para "experimentar" em um hábito para a vida toda, que vai transformá-lo na pessoa necessária para criar a vida que sempre desejou. Você vai atingir seu potencial e ver resultados inéditos em sua vida.

Além de desenvolver hábitos de sucesso, você também vai criar a mentalidade necessária para melhorar de vida, tanto interna quanto externamente. Ao praticar os Salvadores de Vida todo dia, você vai sentir os benefícios físicos, intelectuais, emocionais e espirituais do silêncio, das afirmações, da visualização, dos exercícios, da leitura e da escrita. Você imediatamente vai ficar menos estressado, mais concentrado, feliz e empolgado em relação à vida, gerando mais energia, **clareza e motivação para seguir em frente** rumo aos seus maiores objetivos e sonhos (sobretudo os que você está adiando há tanto tempo).

Lembre-se: sua vida vai melhorar, mas só *depois* de você se desenvolver e se tornar a pessoa que precisa ser para melhorar. Os próximos trinta dias da sua vida podem ser exatamente isso: um novo começo e o início da sua transformação.

VOCÊ CONSEGUE!

Se você estiver nervoso, hesitante ou preocupado em relação a continuar o processo por trinta dias, relaxe. É totalmente normal, ainda mais se acordar cedo era difícil para você. Na verdade, não só a hesitação e o nervosismo são esperados como isso é um ótimo sinal! Significa que você está pronto para se comprometer, senão nem estaria nervoso.

Então, vamos começar.

Passo 1: Obtenha o kit de início rápido do Desafio de *O milagre da manhã* para mudança de vida em trinta dias

Visite www.miraclemorning.com/Brazil e baixe gratuitamente o **kit de início rápido** do Desafio de *O milagre da manhã para mudança de vida em trinta dias*, com exercícios, afirmações, listas de acompanhamento diárias, planilhas de controle e todo o material necessário para começar e terminar o desafio com a maior facilidade possível. Pare um minuto para fazer isso agora.

Passo 2: Planeje seu primeiro *Milagre da manhã* para amanhã

Se você ainda não começou, comprometa-se (e agende) o primeiro *Milagre da manhã* o mais rápido possível, de preferência amanhã. Sim, anote na agenda e decida o local. Lembre-se que é importante sair do quarto assim que acordar para se afastar das tentações da sua cama. Meu *Milagre da manhã* acontece todos os dias no sofá da sala de estar quando o resto da casa ainda está dormindo. Eu soube de pessoas que fazem seus *Milagres da manhã* ao ar livre, na varanda ou em um parque próximo. Faça o seu no lugar em que se sentir mais confortável, mas também onde não será interrompido.

Passo 3: Leia a primeira página do kit de início rápido e faça os exercícios

Leia a introdução do seu kit de início rápido do *Desafio de* O milagre da manhã *para mudança de vida em trinta dias*, siga as instruções e faça os exercícios. Como tudo que vale a pena, terminar esse desafio exige um pouco de preparação. É importante fazer os exercícios iniciais do kit de início rápido (que não levam mais de uma hora). Tenha em mente que seu *Milagre da manhã* sempre vai começar com a preparação feita no dia ou na noite anterior de modo a estar mental, emocional e logisticamente pronto para o *Milagre da manhã* em si. Essa preparação inclui seguir A estratégia de cinco passos à prova de soneca para despertar, explicada no Capítulo 2.

Passo 3.1: Obtenha um parceiro de responsabilização

As evidências avassaladoras da correlação entre sucesso e responsabilização são inegáveis. Embora a maioria das pessoas não goste de se responsabilizar, é imensamente benéfico ter alguém que exija mais de nós do que costumamos fazer. Todos podem se beneficiar do apoio oferecido por um parceiro de responsabilização, então é altamente recomendável, embora não seja obrigatório, que você procure alguém em seu círculo de influência (família, amigos, colegas, cônjuge etc.) e convide essa pessoa para se juntar a você no *Desafio de* O milagre da manhã *para mudança de vida em trinta dias*.

Não só ter alguém para nos responsabilizar aumenta a probabilidade de seguir em frente como juntar forças com outra pessoa é mais divertido! Pense nisso: quando você se empolga com algo e se compromete a fazer aquilo sozinho, há uma força nessa empolgação e no compromisso individual. Contudo, quando tem outra pessoa em sua vida (amigo, parente ou colega de trabalho) tão empolgada e comprometida quanto você, a força é muito maior.

Ligue, mande uma mensagem de texto ou um e-mail para uma ou mais pessoas hoje e convide-as para se juntar a você no *Desafio de* O milagre da manhã *para mudança de vida em trinta dias*. O jeito mais rápido de colocá-las a par do assunto é mandar o link miraclemorning.com/Brazil/ para que elas possam ter acesso gratuito e imediato ao kit de início rápido de *O milagre da manhã*, contendo:

- O treinamento em vídeo de *O milagre da manhã* [em inglês]
- O treinamento em áudio de *O milagre da manhã* [em inglês]
- Dois capítulos do livro *O milagre da manhã*

Isso não terá custo algum para seus amigos, e você vai se unir a alguém com o mesmo compromisso de levar a vida a um novo patamar, então vocês podem trocar apoio e estímulo, além de se responsabilizarem mutuamente.

IMPORTANTE: Não espere até ter um parceiro de responsabilização para fazer o seu primeiro *Milagre da manhã* e dar início ao *Desafio de* O milagre da manhã *para mudança de vida em trinta dias*. Independentemente de ter encontrado alguém para embarcar nessa jornada com você, eu recomendo agendar e fazer o seu primeiro *Milagre da manhã* para amanhã mesmo. Não espere. Você será ainda mais capaz de inspirar outra pessoa a acompanhá-lo na prática de *O milagre da manhã* se já tiver vivenciado alguns dias do processo. Comece e depois, assim que puder, convide um amigo, parente ou colega de trabalho a visitar miraclemorning.com/Brazil e obter o Kit de início rápido de *O milagre da manhã*.

Em menos de uma hora, eles não só serão totalmente capazes de ser um parceiro de responsabilização de *O milagre da manhã* como talvez se inspirem a melhorar de vida também.

ESTÁ PRONTO PARA LEVAR SUA VIDA A UM NOVO PATAMAR?

Qual é o próximo patamar da sua vida pessoal ou profissional? Que áreas precisam ser transformadas para você chegar a esse ponto? Dê a si mesmo o presente de dedicar os próximos trinta dias a progredir significativamente na vida, um dia de cada vez. Não importa como foi o passado; você *pode* mudar seu futuro mudando o presente.

Conclusão

A TROCA

> *Toda história de sucesso é uma história de constantes adaptações, revisões e mudanças.*
>
> — Richard Branson, bilionário e fundador do Virgin Group

Existem muitas características que não nasceram comigo. Aqui está uma breve lista delas:

- Riqueza
- Busca de objetivos
- Proatividade
- Organização
- Produtividade
- Acordar cedo

Eu poderia acrescentar muito mais a essa lista, mas a questão é a seguinte: quando era jovem, eu estava longe da posição ideal para ficar milionário. Quando olho para a minha versão mais jovem, é com uma estranha mistura de humor e espanto. Às vezes acho difícil de acreditar que ainda sou a mesma pessoa quando olho para minha vida agora.

Por exemplo, a minha versão mais jovem nunca acordaria nesta manhã antes de o despertador tocar, que dirá antes de o sol nascer! Também não seria possível que minha versão mais jovem tivesse feito os Salvadores de Vida logo depois de acordar.

À primeira vista, também parece impossível que aquele mesmo jovem pudesse enriquecer tanto.

Mas aconteceu. O fato de eu ter enriquecido é tão certo quanto o de eu ter feito os Salvadores de Vida na manhã de hoje.

LEMBRETE

Para quem estiver se perguntando, eu não executo perfeitamente a rotina de *O milagre da manhã* 365 dias por ano. Não sou um ninja da manhã ou um superguru. Sou apenas um cara com um interesse profundo em tentar me aperfeiçoar.

Devo fazer a minha rotina "ideal" umas cem vezes por ano. No resto dos dias, eu faço alguma variação dela, uma espécie de *Milagre da manhã* abreviado. Volta e meia algo acontece e eu não chego *nem perto* de fazer *O milagre da manhã*. Nesses dias, parece um milagre quando finalmente consigo cair na cama à noite.

Nesses dias, contudo, também me lembro de uma verdade fácil de esquecer: *os dias são frágeis*.

Se eu perder o controle da manhã, frequentemente vou perder o controle do dia: as situações viram uma bola de neve, meu humor e minha energia mudam, nunca dou conta de tudo e jamais sinto aquela sensação de calma que obtenho quando começo o dia do meu jeito, em um espaço de paz e controle.

Não gosto dessa sensação de perder um dia. Afinal, quantos outros eu terei? Não faço ideia, mas sei que todos nós temos menos do que desejamos.

E assim, nos momentos em que tudo parece desabar, eu fecho os olhos e digo a mim mesmo: *Amanhã de manhã tudo será diferente*.

E quer saber? Geralmente é mesmo. Basta esse lembrete de que um dia, uma manhã, uma *vida* é algo frágil para me levar de volta ao *Milagre da manhã*, onde estou no meu auge.

O objetivo é este: *você não precisa ser perfeito*. Na verdade, nem deveria tentar. O que você *precisa* fazer é tentar melhorar e aperfeiçoar tanto a qualidade quanto a quantidade dos *Milagres da manhã*. Basta um pouco a cada dia.

Assim como juros compostos, ele se acumula e gera grandes ganhos no final.

SUA JORNADA RUMO À RIQUEZA

Se o resultado ainda não ficou claro, vamos explicar de novo: você não fica milionário *apenas* acordando cedo. Muita gente trabalhadora acorda cedo a vida inteira e não consegue ser dona nem da casa onde mora. Acordar cedo garante a riqueza tanto quanto abrir uma conta bancária.

Contudo, *O milagre da manhã* funciona. Os Salvadores de Vida funcionam. As estratégias mostradas neste livro de modo a criar a mentalidade para a riqueza *funcionam*. Tudo isso funciona.

Veja o motivo.

Ficar rico é uma jornada. Pode parecer clichê, mas é verdade. Poucas pessoas ficam ricas da noite para o dia, e as que conseguem em geral sofrem muito. A riqueza mais sustentável e prazerosa vem de uma jornada, um processo que acontece ao longo do tempo.

Existem algumas etapas óbvias nessa jornada, como abrir uma empresa, comprar um imóvel para alugar ou aprender a gerenciar e alavancar seu dinheiro, mas essas etapas representam apenas os sinais externos de algo mais profundo, por serem indicadores visíveis de *crescimento pessoal*.

Pesquise o quanto você quiser, mas eu não acredito que seja possível encontrar um milionário pelos próprios méritos que não tenha se desenvolvido. Todos fizeram a mesma viagem em que você está embarcando: a jornada do aperfeiçoamento e aprendizado pessoal. Quando olho para minha versão mais jovem, percebo que sou a mesma pessoa, claro. Eu só fiquei *melhor*.

Quando penso no início da minha jornada para a riqueza, percebo que fiz uma troca. Troquei o antigo eu que dormia demais e procrastinava por um novo. Continuei o mesmo por dentro, mas troquei por um modelo mais novo. O *eu* antigo tinha muito a aprender, e graças ao poder das manhãs fui capaz de realizar esse aprendizado. Consegui abrir mão desse antigo eu em prol da pessoa em quem poderia me transformar.

Em resumo, *O milagre da manhã* funciona exatamente porque oferece tanto o tempo quanto o processo para *criar uma versão melhor de si mesmo*. Ele permite trocar quem você é *agora* pela pessoa em quem você pode *se transformar*.

As manhãs são o nivelador máximo. Todos nós temos pontos fortes diferentes, além de talentos, históricos, vantagens e desvantagens diferentes. No entanto, o que todos temos em comum é uma manhã por dia. Enquanto você viver, sem falha, você receberá uma manhã por dia.

Essas manhãs podem ajudar a criar a vida dos seus sonhos, ou você pode ficar sonhando a vida inteira. A escolha é sua.

Felizmente, amanhã de manhã não está longe. Que escolha você fará?

À sua felicidade, saúde e riqueza.

— David Osborn

Capítulo bônus

A EQUAÇÃO MILAGROSA

HAL ELROD

Existem apenas duas maneiras de viver a vida. Uma é como se nada fosse um milagre. A outra é como se tudo fosse um milagre.

— Atribuído a Albert Einstein

Agora você entende que pode acordar cedo, manter níveis extraordinários de energia, direcionar seu foco e dominar as lições milionárias de David Osborn. Se você também aplicar o que vem a seguir a todos os aspectos da vida, irá muito além e vai transformar sua vida em algo verdadeiramente excepcional.

Existe mais uma ferramenta útil para aumentar seu arsenal de recursos e ajudá-lo a chegar lá: a Equação milagrosa.

A Equação milagrosa é a estratégia subjacente que usei para atingir meu potencial completo como vendedor, amigo, cônjuge e pai. Ela envolve a forma de lidar com seus objetivos. Dan Casetta, um dos meus mentores, ensinou: "O verdadeiro propósito de um objetivo não é atingi-lo, e sim se desenvolver até virar o tipo de pessoa capaz de conquistar objetivos, quer você atinja aquela meta específica ou não. É a pessoa em quem você se transforma ao dar tudo de si por esse objetivo até o último momento que mais importa, independentemente dos resultados."

Quando você decide manter um objetivo que parece inalcançável apesar de a possibilidade de fracasso ser alta, vai ficar particularmente concentrado, fiel e cheio de propósito. Um objetivo ambicioso exige que você descubra o que é capaz de fazer!

DUAS DECISÕES

Como acontece em todo grande desafio, é preciso tomar decisões relacionadas a conquistar o objetivo. Você pode definir um prazo e criar uma agenda, fazendo a seguinte pergunta: "Se eu fosse conquistar meu objetivo nesse prazo, que decisões eu precisaria tomar e com o que precisaria me comprometer de antemão para conseguir?"

E você vai descobrir que as duas decisões de maior impacto sempre serão as mesmas, não importa o objetivo. Elas formam a base da Equação milagrosa.

Primeira decisão: fé inabalável

Houve um momento da vida em que eu estava tentando conquistar um objetivo de vendas impossível. Embora esse exemplo venha da minha experiência como empreendedor, vou mostrar como isso se aplica a qualquer contexto. Foi um período estressante, e eu já sofria com o medo e as dúvidas, mas o processo de pensamento sobre o objetivo me obrigou a ter uma percepção importante. *Para conquistar o aparentemente impossível, eu teria que manter uma fé inabalável todos os dias, não importassem dos meus resultados.*

Eu sabia que duvidaria de mim em alguns momentos e também que em outras ocasiões eu estaria tão longe do rumo que o objetivo não pareceria mais alcançável. Nesses momentos eu precisaria vencer as dúvidas com uma fé inabalável.

Para manter esse nível de fé nesses momentos desafiadores, eu repetia o que chamo de mantra milagroso:

Eu vou _____ *(conquistar meu objetivo), não importa o que aconteça. Não há outra opção.*

Entenda que manter a fé inabalável não é normal e nem o que a maioria das pessoas faz. Quando parece que o resultado desejável não vai acontecer, as pessoas comuns abandonam a fé de que seja possível. Quando o jogo é decisivo, o time está perdendo e faltam apenas alguns segundos, apenas os fora de série como Michael Jordan não hesitam em dizer à equipe: "Passem a bola para mim."

O resto do time respira aliviado porque não precisa enfrentar o medo de errar o lance decisivo do jogo, enquanto Michael Jordan se baseia em uma decisão tomada em algum ponto da vida de manter a fé inabalável, embora possa errar. (E, embora Michael Jordan tenha errado 26 arremessos decisivos ao longo de sua carreira, a fé que ele tinha de que acertaria todos nunca se abalou.)

Essa é a primeira decisão tomada por pessoas muito bem-sucedidas, e você pode fazer o mesmo.

Quando você está trabalhando em um objetivo e não está no rumo certo, o que sai pela janela em primeiro lugar? Ter fé de que o resultado desejado é possível. O seu diálogo interno fica negativo: *Não estou no rumo certo. Não parece que vou alcançar meu objetivo.* E a cada momento a fé diminui.

Você não precisa aceitar isso, pois tem a capacidade e a opção de manter a fé inabalável, não importa o que aconteça nem os resultados. Isso é crucial para construir riqueza, pois os resultados muitas vezes estão fora do seu controle direto. Você pode duvidar de si mesmo, ter um dia ruim no trabalho ou na empresa e pode questionar se tudo vai dar certo nos momentos mais difíceis, mas é preciso reencontrar a fé de que tudo é possível, e mantê-la ao longo da jornada, seja um objetivo de vendas para daqui trinta dias ou uma carreira empresarial de trinta anos.

É muito importante enxergar seu papel na construção de riqueza como algo diretamente relacionado a outras profissões de alto desempenho, porque os paralelos são inequívocos. Se você não reservar um tempo para encontrar esses paralelos, poderá descobrir que está se concentrando nos fracassos em vez de manter o foco nos sucessos.

Os atletas de elite têm a fé inabalável de que podem acertar qualquer jogada. Essa fé, que você também precisa desenvolver, não se baseia na probabilidade e vem de um lugar bem diferente. A maioria dos vendedores se baseia no que é conhecido como lei das médias, mas estamos falando é da lei dos milagres. Quando você erra uma jogada atrás da outra, é preciso dizer o mesmo que um atleta de nível mundial diz a si mesmo: *Vou acertar a próxima jogada, não importa o que aconteça. Não há outra opção.*

E, se você errar de novo, sua fé não se abala, pois você repetirá o mantra milagroso:

Eu vou _____ (insira seu objetivo), não importa o que aconteça. Não há outra opção.

Depois, você mantém a integridade e faz o que prometeu a si mesmo.

Um atleta de elite pode estar em seu pior momento, quando não consegue acertar uma jogada na maior parte da partida. Mas no último instante, na hora em que a equipe precisa dele, o atleta começa a acertar. Esse jogador de elite sempre quer a bola, mantendo a crença e a fé inabaláveis. No último instante, ele acerta três vezes mais do que fez no jogo inteiro.

Por quê? Essa pessoa se condicionou a ter fé inabalável em seus talentos, habilidades e capacidades, independentemente do que diz o placar ou as estatísticas.

Eles também combinam a fé inabalável com a parte dois da Equação milagrosa: esforço extraordinário.

Segunda decisão: esforço extraordinário

Quando você permite que a fé voe pela janela, o esforço quase sempre vai logo atrás. Afinal, qual o sentido de tentar conquistar um objetivo impossível? De repente, você passa a questionar como vai pagar as dívidas ou fazer a empresa dar lucro, que dirá alcançar o grande objetivo que está trabalhando para conseguir.

Eu já estive nessa situação de me sentir desanimado muitas vezes, questionando: *Qual o sentido de tentar?* E você pode pensar: *Não tenho como conseguir isso. Minhas finanças estão indo na direção errada.*

É aí que entra o esforço extraordinário. Você precisa manter o foco no objetivo original e se reconectar à visão que tinha para ele, o grande motivo que estava em seu coração e em sua mente quando definiu o objetivo, no começo de tudo.

Você precisa fazer engenharia reversa no objetivo, perguntando: *Estou no fim do mês. O que eu precisaria ter feito se quisesse conquistar esse objetivo?*

Seja qual for a resposta, será necessário manter a consistência e perseverar, independentemente dos resultados. É preciso acreditar que você ainda pode bater à porta do sucesso, mantendo a fé inabalável e o esforço extraordinário até ouvir a campainha tocar. É o único jeito de criar uma oportunidade para que o milagre aconteça.

Se você agir como as pessoas comuns e fizer o que a natureza humana manda, jamais vai deixar de ser uma pessoa comum. Não escolha ser mediano! Lembre-se: os pensamentos e as ações criam seus resultados, e são profecias que sempre se cumprem. Portanto, gerencie-os com sabedoria.

Permita-me introduzir a você a vanguarda e a estratégia capazes de praticamente garantir que todos os seus objetivos se realizem.

A EQUAÇÃO MILAGROSA

Fé inabalável + esforço extraordinário = milagres

É mais fácil do que você pensa. O segredo para manter a fé inabalável é reconhecer que se trata de mentalidade e estratégia, em vez de algo concreto. Na verdade, trata-se de algo fugaz. Nenhum vendedor fecha todas as vendas. Ninguém acerta todas as jogadas. É impossível vencer todas as batalhas em sua empresa, emprego ou em casa. Portanto, é necessário se programar para ter a fé inabalável que levará você a manter o esforço extraordinário, independentemente dos resultados.

Lembre-se: o segredo para colocar essa equação em prática e manter a fé inabalável em tempos de insegurança é o mantra milagroso.

Eu vou _____, não importa o que aconteça. Não há outra opção.

Quando você definir um objetivo, coloque-o no formato de *O milagre da manhã*. Sim, você diz suas afirmações toda manhã (e talvez à noite também). Mas o dia inteiro, todos os dias, você também vai repetir o mantra milagroso enquanto leva os filhos à escola de carro, pega o metrô até o escritório, enquanto está na esteira, no chuveiro, na fila do supermercado, em todos os lugares.

O mantra milagroso vai fortalecer sua fé e será o diálogo interno necessário para fazer só mais uma tentativa depois de várias que não tiveram sucesso.

LIÇÃO BÔNUS

Você se lembra do que aprendi com o mentor Dan Casetta sobre o propósito dos objetivos? É preciso se transformar no tipo de pessoa capaz de conquistar o objetivo. Nem sempre você vai conseguir, mas poderá virar alguém que mantém a fé inabalável e produz um esforço extraordinário, independentemente dos resultados. É assim que você se transforma no tipo de pessoa que precisa ser para conquistar objetivos extraordinários de modo consistente. Que ótima lição para seus filhos!

Embora alcançar o objetivo quase não seja importante (quase!), você vai alcançá-lo com muita frequência. Os atletas de elite vencem o tempo todo? Não, mas vencem na maioria das vezes. E você também vai conseguir isso.

Você pode acordar mais cedo, fazer os Salvadores de Vida com paixão e empolgação, manter-se organizado, concentrado e engajado e dominar todos os desafios financeiros com maestria. Ainda assim, se você não combinar a fé inabalável com o esforço extraordinário, não vai alcançar o nível de sucesso que procura.

A Equação milagrosa oferece acesso a forças além da compreensão humana, usando uma energia que eu gosto de chamar de Deus, Universo, Lei da Atração ou até de sorte. Não sei como funciona, só sei que funciona.

Se você leu até aqui, sem dúvida quer o sucesso mais do que quase tudo na vida. Comprometa-se a seguir todos os aspectos de sua jornada milionária, incluindo a Equação milagrosa. Você merece e eu desejo que consiga!

PARA COLOCAR EM PRÁTICA

Escreva a Equação milagrosa e deixe-a onde você pode ver todos os dias: **Fé inabalável + esforço extraordinário = milagres (FI + EE = M∞)**

Decida o objetivo número um de sua jornada rumo à riqueza deste ano. Qual objetivo deixaria você mais próximo da vida ideal caso fosse conquistado?

Escreva o mantra milagroso: *Eu vou* _____, *não importa o que aconteça. Não há outra opção.*

É mais uma questão de quem você se transforma nesse processo. Depois de expandir a autoconfiança, você será o tipo de pessoa que sempre dará tudo de si quando tentar conquistar um objetivo, independentemente do resultado.

CONSIDERAÇÕES FINAIS

Parabéns! Você fez o que pouquíssimas pessoas fazem: leu um livro inteiro. Ao conseguir chegar até aqui, isso me diz que você tem fome de mais. Você quer ser mais, fazer mais, contribuir e ganhar mais.

Você tem a oportunidade inédita de aplicar os Salvadores de Vida aos negócios e à vida, transformando sua rotina diária em uma experiência de primeira classe, maior que os seus sonhos mais loucos. Quando você perceber, estará colhendo os benefícios astronômicos dos hábitos que os principais conquistadores seguem todos os dias.

Daqui cinco anos, sua vida familiar, seus negócios, relacionamentos e sua renda serão resultado direto da pessoa em quem você se transformou. Cabe a você acordar todo dia e investir tempo para se transformar na melhor versão de si. Aproveite este momento, defina uma visão para o futuro e use o que aprendeu neste livro a fim de transformar sua visão em realidade.

Imagine-se encontrando daqui a alguns anos o diário que começou após terminar este livro. Nele você encontrará os objetivos e sonhos que não ousou falar em voz alta na época e, ao olhar ao redor, vai perceber que aqueles sonhos representam a sua vida.

Agora você está no pé de uma montanha que pode escalar sem esforços. Basta continuar acordando todo dia, fazendo *O milagre da manhã* e usando os Salvadores de Vida, mês após mês, ano após ano. Tudo isso levará você, sua família e sucesso a lugares extraordinários.

Combine *O milagre da manhã* ao compromisso de dominar as lições dos ricos e use a Equação milagrosa para criar resultados com os quais a maioria das pessoas apenas sonha.

Este livro foi escrito para expressar o que sabidamente vai funcionar para você levar todas as áreas da vida a outro patamar, mais rápido do que acredita ser possível no momento. As pessoas de desempenho milagroso não nasceram assim; elas dedicaram a vida a desenvolver suas habilidades para conquistar tudo o que sempre desejaram.

Você pode ser uma delas, eu garanto.

HORA DE AGIR: O DESAFIO DE *O MILAGRE DA MANHÃ* PARA MUDANÇA DE VIDA EM TRINTA DIAS

Agora é hora de se juntar a dezenas de milhares de pessoas que mudaram de vida com *O milagre da manhã*. Entre na comunidade on-line em TMM-Book.com [em inglês], baixe o kit de ferramentas em miraclemorning.com/Brazil/ e comece já.

UM CONVITE ESPECIAL DO HAL

Leitores e praticantes de *O milagre da manhã* se uniram para criar uma comunidade extraordinária, composta por mais de 150 mil indivíduos do mundo inteiro que pensam da mesma maneira e acordam todos os dias *com um propósito* e dedicam tempo para cumprir o potencial ilimitado que existe em todos nós enquanto ajudam os outros a fazerem o mesmo.

Como autor de *O milagre da manhã*, sinto que tenho a responsabilidade de estabelecer uma comunidade on-line em que os leitores possam se conectar, receber encorajamento, compartilhar as melhores práticas, apoiar uns aos outros, discutir o livro, postar vídeos, encontrar um parceiro de responsabilização e até trocar receitas de smoothies e rotinas de exercícios.

Sou sincero ao dizer que não fazia ideia de que a comunidade *The Miracle Morning* seria uma das mais positivas, engajadas e de apoio mútuo do mundo, mas foi o que aconteceu. Sempre me surpreendo com o nível e o caráter de nossos integrantes, que vêm de mais de setenta países e crescem diariamente.

Basta ir a **MyTMMCommunity.com** e solicitar a inscrição na Comunidade *The Miracle Morning* no Facebook [em inglês]. Você imediatamente vai se conectar a mais de 150 mil pessoas que já estão praticando *O milagre da manhã*, muitas das quais o fazem há anos e ficarão felizes em fornecer conselhos e orientações para acelerar seu sucesso.

Sou o moderador da comunidade e estou sempre por lá, portanto espero encontrar você! Para entrar em contato comigo pessoalmente nas redes sociais, siga @HalElrod no Twitter e Facebook.com/YoPalHal. Vamos nos conectar em breve.

NOTAS

Rotina dos milionários da manhã

Richard Branson
https://virgin.com/richard-branson/why-i-wake-up-early

Arianna Huffington
https://mymorningroutine.com/arianna-huffington/

Howard Schultz
https://www.bloomberg.com/news/articles/2012-04-12/how-to-make-coffee-at-home-howard-schultz

Steve Jobs
http://independent.co.uk/news/business/news/from-steve-jobs-obama--jeff-bezos-mark-zuckerberg-how-8-of-the-world-s-most-successful-people--start-a6686466.html

Daymond John
https://medium.com/personal-growth/how-to-plan-your-ideal-year--2d12ff073467

Oprah Winfrey
https://www.inc.com/bryan-adams/6-celebrity-morning-rituals-to-help-
-you-kick-ass.html

Barbara Corcoran
https://www.huffingtonpost.com/entry/10-morning-routines-of-wildly-
-successful-entrepreneurs_us_58a0c97fe4b080bf74f03dd8

Jack Dorsey
https://www.inc.com/dave-schools/exactly-how-much-sleep-mark-zucker-
berg-jack-dorsey-and-other-successful-business.html

Ryan Holiday
https://ryanholiday.net/my-morning-routine/

Tim Ferriss
https://www.inc.com/bryan-adams/6-celebrity-morning-rituals-to-help-
-you-kick-ass.html

Aubrey Marcus
Livro *Own the Day, Own Your Life* (Harper Wave, 17 de abril de 2018)

SOBRE OS AUTORES

Hal Elrod tem a missão de *elevar a consciência da humanidade, uma manhã de cada vez*. E está fazendo exatamente isso como um dos palestrantes mais renomados dos Estados Unidos, criador de uma das comunidades on-line mais engajadas atualmente e autor de um dos livros mais bem avaliados do mundo: *O milagre da manhã*, traduzido para 27 idiomas, com mais de 2 mil resenhas de cinco estrelas na Amazon e praticado diariamente por mais de meio milhão de pessoas em mais de setenta países.

A semente para o trabalho que mudou a vida de Hal foi plantada aos 20 anos, quando foi encontrado morto após um terrível acidente de carro. Atingido de frente por um motorista bêbado a 110 quilômetros por hora, ele teve onze ossos quebrados, morreu por seis minutos e sofreu danos cerebrais permanentes. Após seis dias em coma, Hal acordou para uma realidade inimaginável e ouviu dos médicos que nunca mais voltaria a andar.

Desafiando a lógica da medicina e provando que é possível superar qualquer adversidade, por mais difícil que pareça, Hal não só andou como correu uma ultramaratona de 83 quilômetros, virou um empreendedor renomado, além de escritor de sucesso internacional, tudo isso antes dos 30 anos.

Em novembro de 2016, Hal quase morreu de novo. Com os rins, pulmões e coração à beira da falência, foi diagnosticado com um tipo muito raro e agressivo de leucemia e tinha apenas 30% de chance de sobreviver. Após enfrentar o ano mais difícil de sua vida, Hal está curado e continua sua missão como produtor executivo do filme de *O milagre da manhã*, um documentário sobre rituais matinais.

E, o mais importante: Hal sente gratidão eterna por dividir a vida em Austin, no Texas, com a mulher dos seus sonhos, Ursula Elrod, e seus dois filhos.

Para obter mais informações sobre as palestras, eventos presenciais, livros, o documentário e muito mais, visite www.HalElrod.com [em inglês].

David Osborn é o principal dono da sexta maior empresa de imóveis nos Estados Unidos, com mais de 4.500 corretores responsáveis por mais de 34 mil transações e US$ 10 bilhões em vendas em 2017. Além de ser investidor primário ou operador de mais de 35 empresas lucrativas relacionadas a imóveis, fundador e presidente do conselho administrativo da Magnify Capital, ele faz ou fez negócios em mais de quarenta estados no Canadá e nos Estados Unidos, além de ser autor do livro *Wealth Can't Wait*, que entrou na lista dos mais vendidos do *New York Times*.

Com uma crença inabalável no compartilhamento de conhecimento e na retribuição, David é fundador e sócio operador do GoBundance, grupo de empreendedores generosos e ambiciosos com uma vida excepcional. Além disso, ele faz parte do conselho das empresas sem fins lucrativos One Life Fully Lived e Habitat for Humanity Austin e integra a TIGER 21. David contribui para várias causas, da luta contra o câncer à construção de poços de água potável por meio da ONG charity: water, até tirar mulheres e crianças da pobreza na Etiópia com a fundação A Glimmer of Hope e garantir que crianças recebam cuidados médicos adequados no Dell Children's Hospital.

David é pai orgulhoso de duas filhas adoradas e um filho maravilhoso, além de ser casado com a incrível e talentosa Traci Osborn. Para obter informações sobre seus livros e palestras e saber mais sobre David, visite www.DavidOsborn.com [em inglês].

Honorée Corder é autora de vários livros, incluindo *You Must Write a Book, Vision to Reality, Business Dating, If Divorce Is a Game, These Are the Rules* e *The Divorced Phoenix*, além das séries *The Prosperous for Writers, Like a Boss* e *The Successful Single Mom*. Ela também é sócia de Hal Elrod na série de livros *O Milagre da Manhã*. Honorée é *coach* de empresários, escritores e aspirantes a escritores de não ficção que desejam publicar livros de sucesso, criar uma plataforma e desenvolver várias fontes de renda. Ela também faz todo o tipo de mágica e é reconhecida por ser o máximo. Saiba mais em HonoreeCorder.com.

Este livro foi composto na tipografia Minion
Pro, em corpo 11/16, e impresso em
papel off-white 80g/m² no Sistema Cameron da
Divisão Gráfica da Distribuidora Record.